Ainsi dans l'avenir frère du passé,
peut-être me verrai-je tel que je suis actuellement.
JAMES JOYCE (*Ulysse*)

trunk on the lobby (it is exactly 148
in the shade today) and one day you left
my [illegible] asked me to lend her [illegible]
Works which I did. More anon. If you

can discover unobtrusively the name of the boy
in Life and Works of G. B. Vico, on sale at 13
or 14 Troy Street, W.C.1, price 5/-. Osiris' fame
has not yet come forth by day or by night
and I am still waiting for a copy of that
biography to be sent me by Gorman or his
publisher. The Irish legation wired again to
Dublin but had no reply. If you are pressed
for quarters in London (probably unobtrusively) I'm
unable to find you something. My friend Byrne's
daughter, Phyllis, at the C. 9 may also be
able to help. She has been there about a
year.

Dialogue. 1980. Lilac Doorway N.W.

Time: Spring.

She: (laying aside a copy of How to Get Rid of Parasites) I have been thinking. What was
the name of that family that was always
in trouble over there in Ethiopia.

He: (quizzing) You're asking me, I think. Was it
She: The man had a small eye.
[illegible]?
He: (replacing [illegible]) Juniors!
She: Juniors! That was the name. I know
it had something to do with Scotland.
[illegible] Bon voyage! Merci!
Fait rien!
Au revoir! Vous avez oublié le pourboire.
[illegible]. Pour le porteur. Fait rien! Je
[illegible], comme disait [illegible]
[illegible].

Cordially yours

James Joyce

JEAN PARIS

JAMES JOYCE
par lui-même

"ÉCRIVAINS DE TOUJOURS"

aux éditions du seuil

Accompagnement

1882 : 2 février : Naissance de James Joyce à Rathgar.
Agitation nationaliste en Irlande ; le 6 mai, lord Frederick Cavendish et Thomas Burke sont abattus par les Invincibles.

1885 : Naissance de John Stanislaus Joyce. Réforme électorale anglaise. Formation du travaillisme et création de la Fabian Society. Parnell est réélu avec 85 partisans.
Mark Twain : *Huckleberry Finn*, Walter Pater : *Marius l'Epicurien*, Huysmans : *A Rebours*, Zola : *Germinal*, Maupassant : *Bel-Ami*.

1886 : Gladstone présente un projet de Home Rule. Refusé aux Communes. Ministère Joseph Chamberlain et triomphe du « jingoïsme ».
Nietzsche : *Par-delà le Bien et le Mal*, Tolstoï : *La Puissance des ténèbres*.

1887 : Le *Times* accuse Parnell de collusion avec les terroristes.
Edouard Dujardin : *Les Lauriers sont coupés*.

1888 : Le jeune Joyce entre au collège de Clongowes Wood.
Verlaine : *Parallèlement*, Nietzsche : *Ecce Homo*, Strindberg : *Mademoiselle Julie*, Ibsen : *Solness le Constructeur*, Engels : *Ludwig Feuerbach et la fin de la philosophie classique allemande*.

1890 : Discrédité par sa liaison avec Mrs O'Shea, Parnell disparaît de la scène politique.
William James : *Principes de Psychologie*, Bergson : *Données immédiates de la conscience*, W. B. Yeats : *Voyages d'Ossian*.

1891 : Mort de Parnell. Premier écrit de Joyce : *Et tu, Healy !*
Oscar Wilde : *Le Portrait de Dorian Gray*, Gide : *André Walter*.

1892 : Nouveau projet de Home Rule. Repoussé par les Lords. Politique réformiste en Irlande.
W. B. Yeats : *La Comtesse Cathleen*, G. B. Shaw : premières comédies.

1893 : Joyce entre au collège du Belvédère.
Agitation anarchiste en Europe. Fondation de la Ligue Gaélique par Douglas Hyde.
Hyde : *Chants d'amour du Connacht*, Mallarmé : *Vers et Prose*.

1898 : Joyce entre à l'University College de Dublin.
Guerre hispano-américaine. Alliance franco-russe. Affaire Dreyfus. Fachoda. Naissance du cinéma.
Henry James : *Le Tour d'écrou*, Wilde : *Ballade de la Geôle de Reading*, Mallarmé : *Un Coup de dé jamais n'abolira le hasard*.

1899 : Guerre des Boers. Premières du Théâtre Littéraire Irlandais. Pétition contre *La Comtesse Cathleen*.

1900 : Joyce publie *Le Nouveau drame d'Ibsen* et commence *Stephen le Héros*.
Insurrection des Boxers.
Husserl : *Logique*, Joseph Conrad : *Lord Jim*, Gerhart Hauptmann : *Michael Kramer*.

1901 : Joyce publie *The Day of the Rabblement (Le Triomphe du Vulgaire)*.

Guerre sino-japonaise. Mort de la reine Victoria, couronnement d'Edouard VII. Thomas Mann : *Les Buddenbrook.*

1902 : Joyce publie *James Clarence Mangan*, obtient son B. A. et quitte l'Irlande. Rencontre à Londres de Yeats et d'Arthur Symons. A Paris, Joyce vit misérablement.
Croce : *Esthétique*, Tchékhov : *Les Trois Sœurs*, Gorki : *Les Bas-fonds*, Gide : *L'Immoraliste.* Victor Bérard révolutionne la critique homérique avec *Les Phéniciens et l'Odyssée.*

1903 : Rappelé à Dublin par la mort de sa mère, Joyce commence *Dubliners*.

1904 : Joyce publie divers poèmes en revues. 10 juin : rencontre de Nora Barnacle. Octobre : le jeune couple quitte l'Irlande et, via Zurich, va s'installer à Pola.
Entente cordiale. Guerre russo-japonaise.
Synge : *Cavaliers vers la mer*, Freud : *Psycho-pathologie de la vie quotidienne.*

1905 : Joyce enseigne à Trieste. 27 juillet : naissance de son fils Giorgio.
Première révolution russe. En France, séparation de l'Église et de l'État. Einstein publie ses découvertes sur la relativité restreinte. Proust commence *A la Recherche du Temps perdu.*

1906 : Joyce achève *Dubliners* et reprend *Portrait of the Artist as a young man.* Rencontre d'Italo Svevo et première idée d'*Ulysse.* En juillet : départ pour Rome.
Conférence d'Algésiras. Fondation du Labour Party et du Sinn Fein. Bergson : *L'Évolution créatrice.*

1907 : Publication de *Chamber Music.* Joyce retourne à Trieste. 26 juillet : Naissance de sa fille Lucia.
A Dublin, la représentation du *Baladin du Monde occidental* provoque une bagarre. Recrudescence de l'agitation nationaliste.

1909 : Joyce traduit Synge et Yeats en italien. Août-septembre : séjour en Irlande avec son fils Giorgio. Retour à Trieste et, en octobre, nouveau voyage à Dublin où Joyce ouvre un cinéma.
Annexion par l'Autriche de la Bosnie-Herzégovine. Blériot traverse la Manche.
Lénine : *Matérialisme et Empiriocriticisme.*

1910 : Joyce essaie vainement de faire éditer *Dubliners.*
Mort d'Édouard VII, couronnement de George V. Ballets russes. Fondation de la *N. R. F.*
Rilke : *Cahiers de Malte Laurids Brigge.*

1911 : Acceptation du Home Rule par les Communes, refus par les Lords. Guerre italo-turque, annexion de la Lybie.
Valery Larbaud : *Fermina Marquez.*

1912 : Court séjour de Joyce en Irlande, le dernier.
Kafka : *La Métamorphose.*

1913 : L'Ulster se sépare de l'Irlande du Sud.
Husserl : *Phénoménologie*, Freud : *Totem et Tabou*, D. H. Lawrence : *Amants et Fils*, Proust : *Du Côté de chez Swann*, Gide : *Les Caves du Vatican.*

1914 : Publication de *Dubliners.* Joyce achève le *Portrait*, compose *Les Exilés*, commence *Ulysse.*
Les Irlandais entrent en guerre aux côtés des Britanniques, mais répugnent à combattre « sous un drapeau étranger ».

1915 : Joyce, prisonnier sur parole à Trieste, obtient l'autorisation d'entrer en Suisse et se fixe à Zurich.

1916 : Le lundi de Pâques, les Volontaires Irlandais se soulèvent, sous le commandement de Patrick Pearse. Ils capitulent, après une semaine de furieux combats. Exécutions.
Arthur Schnitzler : *Le Lieutenant Gustel.*

1917 : Publication de *Portrait of the Artist as a young man.*
Entrée en guerre des U. S. A. Révolution russe. Aux élections dublinoises, triomphe du Sinn Fein.
Lénine : *L'État et la Révolution*, Valéry : *La Jeune Parque.*

1918 : Publication des *Exilés. Ulysse* paraît dans *The Little Review.*
Armistice. Les Irlandais proclament la République, avec De Valera pour président. Lutte ouverte entre l'I. R. A. et la police anglaise, Auxiliaires et Black-and-Tan.

1919 : Joyce regagne Trieste.
Traité de Versailles. Création de la S. D. N. Révolution et répression en Allemagne.
Proust : *A l'Ombre des jeunes filles en fleurs*, Kafka : *La Colonie pénitentiaire.*

1920 : Joyce s'installe à Paris. Rencontre d'Ezra Pound, de Valery Larbaud, d'Aragon, d'Eluard, etc.
Guerre russo-polonaise. Home Rule : l'Irlande est constituée en dominion.
O'Neill : *Emperor Jones*, Tzara : *Manifestes dada.*

1921 : Joyce achève *Ulysse.*
Fin de la guerre civile en Russie. Traité de Riga. En Irlande, De Valera refuse les accords anglais et réclame l'indépendance totale.
Pirandello : *Six Personnages en quête d'auteur*, André Breton et Philippe Soupault : *Les Champs magnétiques.*

1922 : *Ulysse* paraît à Paris chez Shakespeare and Co (Sylvia Beach). Joyce séjourne dans le Sussex ; première idée de *Finnegans Wake.*
Mussolini marche sur Rome et prend le pouvoir. A Dublin, De Valera est remplacé par Griffith, puis par Cosgrave. Guerre civile.
T. S. Eliot : *The Waste Land*, Virginia Woolf : *Jacob's Room*, Katherine Mansfield : *La Garden-Party*, Valéry : *Charmes*, Kafka termine *Le Château.*

1923 : A Nice, Joyce commence *Finnegans Wake.*
Dictature de Primo de Rivera. Conflit italo-grec. Occupation de la Ruhr. Putsch de Munich. Fin de la guerre civile en Irlande.
G. B. Shaw : *Saint Joan*, Rilke : *Elégies de Duino, Sonnets à Orphée.*

1924 : Traduction française du *Portrait* (*Dedalus*). Publication des premiers fragments de *Finnegans Wake* (*Work in Progress*).
Mort de Lénine. Staline : *Principes du Léninisme*, O'Casey : *Junon et le Paon*, E. M. Forster : *La Route des Indes*, Thomas Mann : *La Montagne magique*, André Breton : *Manifeste du Surréalisme.*

1926 : Publication piratée d'*Ulysse* aux États-Unis. Traduction française de *Dubliners (Gens de Dublin). Work in Progress* continue à paraître dans *Transition.*
Autonomie des dominions. Entrée de l'Allemagne à la S. D. N.
Hemingway : *Le Soleil se lève aussi*, Claudel : *Le Soulier de satin*, Malraux : *La Tentation de l'Occident*, Aragon : *Le Paysan de Paris*, Eluard : *Capitale de la douleur.*

1927 : Publication de *Pomes Penyeach* à Paris.
Lindbergh traverse l'Atlantique. Évacuation de la Rhénanie. De Valera et les siens réintègrent le Parlement.
Heidegger : *Sein und Zeit*, Forster : *Aspects du roman.*

1928 : Publication d'*Anna Livia Plurabelle.*
Pacte Briand-Kellog. Congrès panaméricain.
A. Huxley : *Contrepoint*, D. H. Lawrence : *L'Amant de Lady Chatterley*, Lorca : *Romancero Gitan.*

1929 : Publication de *Shem and Shaun.* Traduction française d'*Ulysse.*
Plan Young. Crise économique. Krach de New York.
Faulkner : *Le Bruit et la Fureur*, Hemingway : *L'Adieu aux armes.*

1930 : Publication de *Haveth Childers Everywhere.* A Zurich, Joyce est opéré des yeux par le Pr. Vogt.
Breton : *Second Manifeste du Surréalisme*, Breton et Eluard : *L'Immaculée Conception,* Victor Bérard : *Les Navigations d'Ulysse.*

1931 : Mort du père de Joyce. Voyages en Suisse et en Autriche.
Abdication d'Alphonse XIII. La République en Espagne. Statut de Westminster : l'Empire devient le Commonwealth.
O'Neill : *Le Deuil sied à Electre*, Virginia Woolf : *Les Vagues*, Charlie Chaplin : *Les Lumières de la Ville.*

1933 : *Ulysse* reçoit l'imprimatur aux États-Unis.
Election de Roosevelt. New Deal. Hitler chancelier du Reich. L'Allemagne quitte la S. D. N.
Malraux : *La Condition humaine*, Céline : *Voyage au bout de la nuit.*

1934 : *Ulysse* paraît à New York.
Agitation en Europe. Émeutes de février à Paris. Assassinats de Röhm, de Dollfuss, d'Alexandre de Yougoslavie et de Barthou. Mort d'Hindenburg.

1936 : Publication des *Collected Poems.*
Mort de George V, abdication d'Édouard VII, couronnement de George VI. Réoccupation de la Rhénanie. Guerre d'Espagne. Assassinat de Lorca. Front populaire. Mort de Gorki. Procès de Moscou.
Dos Passos : *U. S. A.*, Faulkner : *Absalon ! Absalon !*, Chaplin : *Les Temps modernes.*

1937 : Publication de *Storiella as she is syung.*
Guerre sino-japonaise. Nouvelle constitution irlandaise.
J-P. Sartre : *La Nausée.*

1938 : Joyce achève *Finnegans Wake* à Paris.
Victoire de Franco. Anschluss. Munich.
Bertolt Brecht : *Mère Courage.*

1939 : Publication de *Finnegans Wake.*
Déclaration de guerre. Pacte germano-soviétique.

1940 : Joyce suit l'exode et se réfugie dans l'Allier. Autorisé à entrer en Suisse, il retourne à Zurich.

1941 : 13 janvier : Mort de Joyce à Zurich.
Invasion de l'U. R. S. S. Charte de l'Atlantique.

1944 : Publication et traduction de *Stephen Hero.*

1949 : L'Irlande rompt ses derniers liens avec le Commonwealth et accède à la totale souveraineté.

Erin, ô vert joyau de la mer argentée.

Ulysse

ULTIMA THULÉ

Haute marche du couchant, l'Irlande est la dernière terre qui voie le jour s'éteindre. Il fait nuit sur l'Europe quand un soleil oblique empourpre encore les fjords et les déserts de l'ouest. Mais que des nuées s'amassent, que l'astre s'abîme, et l'île redevient, légendaire, ce lieu cerné de brumes et de ténèbres qui marqua longtemps pour les navigateurs la limite du monde connu. Par-delà c'est le gouffre, la mer obscure où les morts gagnaient jadis « le pays d'éternité ». Leurs barques noires, sur des plages aux noms étranges, témoignent toujours d'un âge où le voyage tenait de la métaphysique : elles invitent à des rêves sans rives, sans retours. Assiégée de cette eau funèbre, l'Irlande ne connaît d'autres frontières que le surnaturel. Ses monuments, ses sites, autant de signes : ces tours rondes où brillaient les lampes des défunts, ces tombes dressées solitaires auprès des vagues, ces montagnes, ces glens où les fées tenaient conciles, ces lacs sombres, ces enfers, ces chaussées de géants, composent moins une entité géographique qu'un paysage spirituel, ce seuil d'où l'homme n'a jamais contemplé de plus près l'au-delà. Par la mer ou la nuit ouverte à l'infini, l'Irlande n'est point de notre monde — c'est une terre mystique.

Ile des saints. Chaque jour là-bas, à l'aube, au crépuscule, le soleil même semble célébrer le mystérieux triomphe du christianisme sur les dieux antiques de l'occident. Cette Irlande pourtant fut-elle jamais chrétienne ? L'Europe stagnait encore dans la barbarie, quand les Gaëls fondaient déjà ces admirables monastères de Lismore, de Clonmacnoise, de Derry, d'Aran-Mor, colonisaient l'Écosse et la Bretagne, et dépêchaient leurs missionnaires jusqu'à Wurzbourg, Tarente et Kiev. En ce temps-là, la lumière se levait à l'ouest, et l'Irlande faisait, sur un monde en chaos, rayonner avec l'Évangile les prestiges de l'intelligence. C'est de ses évêchés, de ses couvents, de ses écoles que sortirent les plus audacieux théologiens, Alcuin, Scot Erigène; les meilleurs géographes, tels ce Dicuil qui, de grammairien, devint auteur d'un *De Mensura orbis terrarum*, cet Adamnan qui décrivit l'un des premiers la Terre Sainte, ou ce Fergal, abbé d'Aghadoe, qui soutint à Salzbourg la théorie des antipodes ; les prestigieux artistes des Livres de Kells, de Lindisfarne, d'Armagh et de Durrow ; maints poètes, musiciens, miniaturistes ; les apôtres enfin, saint Columban, saint Fiacre, saint Kilian, saint Fursa, saint Gall, grands voyageurs, aventuriers, prédicateurs, voyants, fondateurs de villes et de diocèses... Mais ce christianisme, qui culmine dans les figures de saint Patrick et de saint Brendan, n'aura jamais de romain que la défroque. Un Columbkille, un Coleman batailleront sans répit pour préserver ses caractères nationaux, et quelques siècles de chicanes sur la tonsure et le jour de Pâques ne seront point trop pour le contraindre aux directives du Saint-Siège. Car, sous cette foi des prêtres et des moines, une foi plus sombre, immémoriale, se refuse à mourir. Le clergé pourra bien, avec Malachie, se prosterner devant le pontife de Rome, les bardes, les filidh, fils du peuple profond, chanteront toujours les guerriers et les dieux des âges druidiques. A cent moments de son destin, c'est à ces Lugh, ces Nuad, ces Finn, ces Deirdre, ces Cuchulainn, que l'Irlande en appellera. Ainsi demeure-t-elle, sous toutes formes de culture, fidèle aux origines — une terre mythique.

Ce pays, des plus vaillants qui soient, n'a pour chronique qu'un immense martyrologe. Je sais peu de sols plus abreuvés de sang et de larmes, peu de peuples qui aient, dix siècles durant, supporté plus de souffrances et combattu plus d'injustices. Ses commencements ont la splendeur sombre des sagas. En cette île perdue, sous le fouet des tempêtes, s'établirent d'abord quelques hordes légendaires, dont la dernière se flattait d'une ascendance milésienne. Un siècle avant Jésus-Christ, des clans celtiques, les Gaëls, s'emparent du territoire et l'organisent militairement. Leur civilisation s'effondre en 795 devant les barbares dont les vagues déferleront sans trêve : Danois, Norvégiens, Saxons, Normands, et dont les ravages, les désaccords, les sécessions et les revers plongeront, de longs temps, l'île dans le chaos. Elle n'en sortira que pour subir l'ennemi contre lequel se forgera son destin véritable. Octobre 1534 : les Anglais reviennent en force, incendient, pillent, ruinent, massacrent, emprisonnent. Crimes horribles, très horribles, dont la liste s'allongera jusqu'à nos jours : persécutions religieuses sous Henry VIII, conquête sans merci sous Essex et Mountjoy, spoliations massives, usurpations des terres, écrasement des jacqueries sous Charles Ier, extermination systématique sous Cromwell, répressions sanglantes sous William Pitt, humiliations, déportations sous Victoria, guerre ouverte enfin par l'insurrection de 1916, fusillades, terreur policière, etc. sans parler des famines atrocement entretenues qui, durant le seul XIXe siècle, réduiront de moitié la population. En 1840, l'Irlande comptait 8 millions et demi d'habitants, elle en compte aujourd'hui 4 millions un quart : témoignage du calvaire de ce peuple réduit à choisir entre la disette et l'émigration [1]. Mais témoignage aussi d'une volonté constante de recouvrer la liberté par la révolte. A tous les âges ce courage trouvera ses martyrs : Brian Borou, Shane, le comte Gerald, Hugh O'Neill, Owen Roe, Wolfe Tone, Robert Emmet, Daniel O'Connell, Smith O'Brien, Charles Parnell, Michael Davitt, Patrick Pearse, Terence Mac Swiney... C'est dans la pire tragédie que l'Irlande aura découvert son visage : terre de deuil et de faim, de désespoir et de violence — terre héroïque.

Point de rive pourtant où le rire soit plus vénéré. Rire amer sans doute, mais qui sut toujours réduire la douleur à l'échelle de l'existence : « une farce à mener par tous ». Il est significatif que l'Irlande n'ait produit que fort tard de grands poètes dramatiques comme W. B. Yeats, J. M. Synge ou Sean O'Casey. Bien avant les lamentations de *Deirdre* ou les cris de colère de *La Charrue et les étoiles*, elle avait forgé l'arme essentielle de sa révolte : le comique. « Qui t'a donné une philosophie aussi gaie ? L'habitude du malheur », disait Beaumarchais. « Contre la loi étrangère absurde et dégradante, l'Irlande invente la dérision, ce fameux *wit* irlandais, cet humour noir [2]. » Asservie, affamée, elle tire de l'adversaire la vengeance la plus inconcevable : elle lui

1. Voir, par exemple, C. Woodham-Smith : *La Grande Famine d'Irlande*. Trad. A. Tranchand, Plon.
2. Camille Bourniquel : *Irlande*, Coll. Petite Planète, Édit. du Seuil.

prodigue les meilleurs satiristes dont puisse s'enorgueillir sa littérature. Swift, Sterne, Sheridan, Congreve, Farquhar, Goldsmith, Maturin, Wilde, Moore, Shaw : la tradition si prisée de l'humour britannique est une création proprement irlandaise, et seul sans doute un peuple aussi déchiré pouvait joindre à tant de lucidité tant d'insolence. Car sa cruauté ne respecte rien : par-delà l'histoire, elle s'arroge la liberté de persifler le bourreau comme la victime, de dénoncer toujours le relatif sous l'absolu, de railler dans les grands mots, les attitudes pompeuses, les idéaux spectaculaires ou les régimes prestigieux, la bouffonnerie d'une condition que la mort vient clore, tôt ou tard, de la façon la plus joviale. L'angoisse ne point que les timides ; qui touche au fond de l'infortune recouvre, comme Hamlet, la santé du sarcasme. Humain, trop humain! Où d'autres gémiraient, l'Irlande rit ; son rire l'élève bien au-dessus de son malheur ; elle rit, elle triomphe — elle est terre ironique.

La capitale de ce petit monde en résume le caractère que Gœthe peignait déjà comme une « vive alternance de sérieux et de plaisanterie, de sympathie et d'indifférence, de douleur et de joie ». Dublin surprend. C'est peu de dire son pittoresque, la diversité s'inscrit ici dans le paysage même. Ouvert au large, mais retranché des houles et des tempêtes par la presqu'île de Howth et le cap de Dalkey ; étalé dans l'estuaire de la Liffey, mais coupé de l'arrière-pays par la chaîne du Wicklow, Dublin paraît, comme dit George Moore, « une ville errant entre montagne et mer ». A ces monts elle doit un site réputé, le dessin d'une baie que les enthousiastes comparent à celle de Naples. De la mer elle tient ce nom que les Scandinaves, ses fondateurs, lui décernèrent : Dubh-Linn, la mare noire, et son climat, ses rêves, son commerce. Cette double appartenance, terrestre et maritime, donne à son port un caractère de haut symbole. Le fleuve y porte, les rues, les canaux y convergent, la cité tout entière autour de ses bassins se déploie comme un éventail : quartiers des douanes, gares et entrepôts, districts administratifs et commerçants, quartiers résidentiels et populaires, coupés de parcs, d'agréables jardins, mais aussi de terrains vagues et de ruelles où se réfugie la misère ancestrale. Au nord : la grande artère d'O'Connell Street, les squares Rutland et Mountjoy, Mabbot Street, Eccles Street, Philsboro et le cimetière de Glasnevin ; à l'ouest : la Liffey, ses quais hauts en couleurs, Bachelors Walk,

Ormond Quay, les Four Courts, Phœnix Park, les usines et les casernes d'Islandbridge ; au sud : les églises, les écoles, Trinity College, les théâtres, les hôpitaux, Grafton Street, Stephen's Green, Merrion Square, et les faubourgs de Rathmines, Rathgar, Terenure, Milltown ; à l'est enfin : la mer, les digues, les docks, les îlots de sable, le port de Howth, les plages d'Irishtown, de Sandymount, de Blackrock et de Dùn Laoghaire. Ainsi le centre, O'Connel Bridge, est comme à la rencontre de deux mondes : la métropole qui, des pentes du Wicklow, descend, rampe, s'étire et vient mourir au long des rocs, et cette mer qui, par la rivière et les canaux, pousse partout ses tentacules, charrie ses brumes, ses odeurs...

Du havre aux tavernes, des chapelles aux ponts, le promeneur se voit, en quelques instants, assailli par mille impressions contraires. Labeur et fainéantise, opulence et détresse, douceur et brutalité, charme et laideur se côtoient ici, depuis des siècles, sous les mêmes pluies, dans le même tumulte. La foule va, s'écoule comme les eaux noires du fleuve, sans qu'on puisse la dire riante ou désolée, affairée ou oisive. Mais étonnante, certes ! Cette ville nourrit la ménagerie d'excentriques la plus considérable du monde occidental : nobles déchus, bohêmes agressifs, professeurs à redingotes, prostituées redondantes, ivrognes fabuleux, prophètes dépenaillés, douairières bardées de peignes et bijoux, tout le jour, au long de la Liffey, défile cette cohorte carnavalesque qu'on dirait sortie d'une toile de Brueghel ou d'un roman de Gogol. Traits communs : tous ces gens s'observent, se connaissent, se croisent sans cesse et sans cesse s'arrêteront pour bavarder, le discours tenant à peu près dans la vie dublinoise le rôle qu'il tient dans la vie marseillaise, et tout un chacun pouvant, avec égal bonheur, discuter des heures durant de football ou de politique, de poésie, de religion, d'hippisme, de finances, de boissons, de chiens, d'adultère ou de bel canto. Le lieu parfait où s'affine cette éloquence est, bien entendu, le café. L'Irlande partage avec la France l'habitude d'organiser son histoire civique autour des pintes. Éprise de rhétorique, elle est portée à tenir les rêves pour des faits et les formules pour des solutions. D'où ses surprises qui sont nôtres, à constater l'écart entre l'euphorie des conceptions et la maigreur des résultats. Son comique, d'ailleurs, n'a pas d'autre ressort, comme l'ont compris les écrivains dont parle

Camille Bourniquel : « L'Irlandais est-il gai ou triste, égoïste ou désintéressé, aventureux ou timoré, mystique ou bigot ?... L'histoire d'un peuple ne suffit pas à solder toutes les énigmes d'une race. De Swift à Samuel Beckett, c'est moins en définitive l'amertume de la condition humaine qui transparaît sous ces refus, ce verbalisme, cette insolence et cette mise en accusation de la vie, que l'aventure d'esprits chez qui la révélation de leur solitude n'a pas refoulé le besoin de se communiquer à autrui ».

Ces travers des Irlandais, qui font aussi leur charme, ne sont nulle part plus visibles qu'à Dublin. Cette ville de gueux, de prêtres, de poètes et d'anarchistes, cette ville qui ne ressemble à aucune autre, est donc toute en contrastes, au premier rang desquels il faut compter l'extrême misère et l'extrême culture. Le symbole le plus naïf et le plus raffiné en est assurément ce Livre de Kells exposé comme un trésor à Trinity College. Livre sacré des Celtes, évangile aux fantastiques enluminures : tout un bestiaire, tout un système de couleurs, de lignes, d'allégories a jailli là des profondeurs du peuple. On imagine quelle humble patience et quel secret savoir ont présidé à ces entrelacs, à ces figurations, et il semble que tout le folklore de cette Irlande mystérieuse et sauvage, subtile et obstinée, y révèle sa pérennité. Car n'est-ce pas aux mêmes sources que puiseront, de siècle en siècle, les sculpteurs des croix, les orfèvres des calices, ou les ollaves qu'on voit encore, aux quartiers pauvres, réciter leurs laisses en s'accompagnant à la harpe ? Jusqu'à la science d'un Yeats, la rudesse d'un Synge procéderont de cet art aussi populaire qu'ésotérique dont les traditions ont préservé la splendeur, l'étrangeté, la force. Si l'Irlande fascine, c'est bien par cette richesse d'imagination, ce génie qui devait encore, en notre temps, engendrer un théâtre où histoire et lyrisme renouent des liens rompus depuis les Elizabéthains. Mettre en scène le pays lui-même, ses conflits, ses espoirs, ressusciter son passé, sa grandeur, tel est en effet le programme que Lady Gregory, Yeats, Moore et Martyn fixaient à ce Théâtre Littéraire qui, sous le nom de l'Abbaye, devait bientôt s'imposer comme le meilleur d'Europe et provoquer, à Dublin même, quelques batailles rangées. C'est justement en ce théâtre qu'on pouvait voir, vers 1900, un personnage assez bizarre se présenter aux portes et, sans billet, entrer d'autorité en foudroyant le contrôle d'une courte phrase : *Je suis Joyce.*

Bienvenue, ô vie ! Je pars, pour la millionnième fois, chercher la réalité de l'expérience et façonner dans la forge de mon âme la conscience incréée de ma race.

Dedalus

L'ARTISTE JEUNE

Si l'on en croit ses portraitistes, l'individu se signalait par une mise singulière, dans une ville habituée pourtant aux plus rares accoutrements. Vêtu, comme Jarry, d'une jaquette et d'un vieux chandail, il traînait hiver comme été des chaussures de tennis dont la blancheur défiait le souvenir. Une chemise, plastron sanglé dans le gilet, godait autour d'une ceinture trop lâche d'où pendaient des braies en vis de pressoir. Quant au physique, il surprenait. La tête cylindrique, sous une casquette de yachtman, s'ornait parfois, comme celle de Méphistophélès, d'une barbiche entée sur un menton fort prononcé. La maigreur surtout frappait, et le regard, très bleu, très pâle, très liquide, regard d'ascète, de rêveur, au fond duquel un psychologue eût deviné de grands projets. Mais les chroniqueurs qui nous valent cette caricature tenaient aussi peu du psychologue que du prophète. Joyce était grand, ajoutent-ils, fort myope, l'un des hurluberlus les plus notoires, etc. On l'apercevait, accompagné de sa canne de frêne, le jour dans les bibliothèques, la nuit dans les mastroquets. On colportait partout ses mots féroces, ses épigrammes, non sans railler sous cape ses ambitions dantesques. Car, ayant produit en tout et pour tout un essai sur Ibsen et cinq ou six poèmes anachroniques, le jeune homme posait volontiers au génie méconnu et réclamait des concitoyens une admiration sans limite. « Jamais, disait Yeats, je n'ai rencontré tant de prétention, et si peu pour la justifier. »

« Dublin était assurément, à ce moment-là, un centre de puissantes possibilités. Dowden, Mahaffy, et quelques autres représentaient encore dignement la vieille culture ; l'agitation politique concentrait ses forces en vue d'une occasion propice, cependant que l'organisation du Sinn Fein se ramifiait secrètement à travers le pays ; le mouvement gaélique affichait des buts arrogants ; le Théâtre Littéraire Irlandais était déjà célèbre, et à côté de Yeats et de Synge, d'A. E. et de George Moore, il existait nombre de jeunes écrivains, et des beaux parleurs plus nombreux encore, d'une extrême individualité [1]. » Deux revues rassemblaient les textes des premiers et nourrissaient les palabres des seconds : *Dana*, qui était à l'Irlande ce que la *N. R. F.* serait à la France et *St Stephen's*, organe estudiantin. L'une et l'autre allaient accueillir les écrits de Joyce (le seul auteur, du reste, à y être rémunéré), sans s'attirer d'autre remerciement qu'un commentaire péremptoire : *journal des cochons !* A en juger par ses tablettes, une amère révolte hantait déjà l'ingrat, une révolte de tout instant, contre Dieu : *Grandpapapersonne, collecteur de prépuces ;* contre l'Église : une *Italienne*, une *mâcheuse de cadavres ;* contre l'Anglais : *son enculeur de roi ;* contre les femmes : *proies du serpent ;* contre l'armée : *que ma patrie meure pour moi !...* contre l'Irlande surtout : *race de culs-terreux*, *race de railleurs*, *miroir fêlé de bonne à tout faire*, *truie qui dévore sa portée...* En un temps où l'île mobilisait talents et traditions pour forcer l'histoire et proclamer l'indépendance, il était donc un homme en qui cette renaissance n'éveillait que ressentiment. Trente ans plus tard, la gloire le trouverait dans les mêmes dispositions : *Nous ne pouvons pas changer le pays. Changeons de sujet.*

Parle-t-il ? C'est pour dénigrer : les curés vous exploitent, vos dirigeants sont tous vendus, Mr Breen est un poitrinaire, Mme Bloom une catin, Earwicker un ruffian, Léopold un cornard, et sa propre famille n'échappe pas au massacre, exemple le père : *étudiant en médecine*, *champion de l'aviron*, *ténor*, *comédien amateur*, *politicien braillard*, *petit propriétaire*, *petit rentier*, *grand buveur*, *brave bougre*, *secrétaire de quelqu'un*, *quelque chose dans une distillerie*, *percepteur des contributions*, *banqueroutier*, *et présentement laudateur de son passé*. L'amour ? Une duperie. Point d'amour en ces histoires, dont les héroïnes,

1. John Eglinton : « The Beginnings of Joyce », *Irish Literary Portraits*, Londres, Macmillan, 1935.

de la frêle Emma Clery à la sinueuse Anna Livia, seront ou des niaises comme Gertie Mac Dowell, ou des lubriques comme Marion Bloom, ou des monstres comme Bella Cohen. Perfides, sadiques, fielleuses, obsédées sexuelles, tout cela fort joyeusement, elles auront pour fonction, remarque Richard Ellman, de « diviser les mâles » et d'embrasser toujours le parti le plus vil : la chair contre l'esprit, le gaélique contre l'anglais, Cranly contre Stephen... Quant aux amis, s'ils n'en veulent pas à votre femme, c'est qu'ils en veulent à votre fille, à votre bourse, à votre garde-manger. Tous parasites, entremetteurs, cyniques, ligués pour nuire, finalement : des traîtres. Simon délaisse ses enfants, Boylan ruine les ménages, Lynch abandonne aux coups son compagnon, Léopold, trompé, bafoué, trompe à son tour ; et la vie même de Joyce est hérissée de calomnies, d'humiliations et de ruptures. Les disciples les plus dociles ne pourront s'empêcher de noter ses froideurs, ses caprices, ses réticences, quitte à l'excuser sur son glaucome ou ses problèmes pécuniaires. Un caractère difficile, *impossible*, dit Mulligan. Lui présente-t-on Budgen ? Il flaire un espion britannique. Un Triestin le recherche ? Il le soupçonne d'adultère. Wyndham Lewis critique *Ulysse*, sottement il est vrai ? Il se brouille avec lui. Paris l'adule ? Il se dit seul, entouré de persécuteurs. Il reçoit comme un dû toutes les dévotions, et le fait est qu'il en suscitera de nombreuses, mais sans souffrir d'exceptions à sa tyrannie : son bienfaiteur Ezra Pound en fera l'expérience, quand il s'avisera de ne point goûter *Finnegans Wake*.

Trahison ! De même que résonne en tout Shakespeare la note du bannissement, dans toute l'œuvre de Joyce la trahison domine. Trahison de l'épouse envers le mari, du fils envers le père, de la cité envers le héros, et réciproquement, trahison de la grandeur humaine. Certes, ce n'est pas ici qu'on trouvera de belles âmes ni de morales exemplaires, car les gens révéleront justement ce qu'ils sont : des histrions, des *menteurs jaune soufre*. Ordinaire de leurs journées : la délation, la paillardise, la filouterie, la vantardise, la querelle. Voilà pourquoi toute circonstance les verra sur leurs gardes, occupés à s'épier, à se méfier les uns des autres, et comme pris dans un réseau de regards justiciers qui d'emblée discerneront leurs turpitudes. Observez ces galants, diserts et de belle mine ; approchez-les : de plats maquereaux. Sondez ce couple Conroy, dont l'union fait plaisir à voir, vous apprendrez que Madame pleure en secret un amant. Suivez cet homme de noir vêtu, vaguement ridicule, mais digne : que fait-il ? Il défèque en jouissant, s'excite sur une statue, s'humilie dans un quotidien, se masturbe à la plage, reluque les petites filles, traîne au bordel et pour finir, dans le lit conjugal qu'un autre vient de souiller, s'endort après avoir flairé sa femme sur l'envers. Franchissez l'apparence, vous découvrirez, comme Lear, « enfer, ténèbres, gouffre sulfureux, brûlure, puanteur, consomption, fi ! fi ! fi ! ». La seule différence, mais capitale, c'est que Joyce finira par sanctionner l'état de choses. Puisque le monde est masque, le rôle de l'écrivain sera de démasquer, de peindre l'humanité la plus précise, en s'abstenant également de blâmes et d'éloges. On rapprochera avec raison cette objectivité de la démarche scientifique : point de sentiments, des faits ; point de sermon, un constat. Il s'agit d'être exact : la trahison commence à l'illusoire.

Ce n'est point que les sentiments soient absents de cette œuvre ; elle en compte, au contraire, d'étonnamment divers. Et comment en serait-il autrement, puisqu'elle prétend décrire toute la complexité de l'homme ? Par exemple, il arrive que l'enthousiasme y ait sa part ; Stephen contemple-t-il une baigneuse ? *L'image de la jeune fille était entrée dans son âme à jamais*, et le voilà métamorphosé : *Vivre, errer, tomber, triompher, recréer la vie avec la vie ! Un ange sauvage lui était apparu, l'ange de jeunesse et de beauté mortelle, messager de l'incorruptible justice de la vie, ouvrant devant lui, en un instant d'extase, les barrières de toutes les routes d'erreur et de gloire. En avant ! En avant ! En avant !* (Dedalus). Sur un mode mineur, la compassion non plus ne manquera pas à ces créatures, et je connais peu de scènes plus poignantes que celle où Bloom se verra refuser, par les ivrognes attablés, la cité de l'Irlande : *Virag de Hongrie ! Ashavérus que je l'appelle. Maudit de Dieu.* Comptons encore : détresse d'Eveline, désespoir de Chandler, colère de Farrington, amertume de Richard, désarroi de Bertha, terreur de Dedalus... Mais ces transports, si graves soient-ils, n'attirent nulle sympathie. D'ailleurs, qui les éprouve ? Le personnage, jamais l'auteur. Tout l'art de Joyce est justement d'en montrer la relativité, l'insignifiance. Et serions-nous tentés d'y participer, que l'ironie l'interdirait. Vues de Sirius, ces joies et ces misères se réduisent à quelques titres occasionnels : *Une Rencontre*, *Un Petit Nuage*, *Cendres*, *Pénible Incident*, comme si le créateur refusait d'entrer dans le jeu de ses interprètes. Bref, le traitement des caractères ne sera point d'ordre affectif, mais intellectuel, et si loin que Joyce conduise les passions, rien n'entamera ce que Mr Duffy appelle *la solitude incurable de l'âme.* Il est bien vrai que cette œuvre ne nourrit pas la moindre illusion sur notre nature. La dira-t-on désespérée ? Elle est lucide : l'homme est donc seul, sans amour, sans prise sur le monde, exposé à la félonie, et les mobiles de ses actes ne sont jamais ni tout à fait exquis ni tout à fait sordides, ils sont mêlés, variables, contradictoires, etc.

Et d'abord, d'où vient ce désenchantement? La famille ni les études n'en répondent. La famille? Elle entre en lice à la naissance du héros : 2 février 1882, Rathgar. Au sud de Dublin, ce faubourg, aujourd'hui banal, jouissait alors d'un charme victorien, avec ses pelouses ombragées, ses avenues agrestes et ses cottages bien alignés. John Stanislaus Joyce et sa jeune femme s'y étaient établis 41 Brighton Square... Cousin d'O'Connel, le bonhomme, que Gorman décrit comme « une version irlandaise de Mr Micawber », avait fréquenté le collège St Coleman, rêvé

Un mal nécessaire, les parents.

de s'engager en 70 contre les Prussiens, « sauvé de nombreuses vies humaines en abandonnant l'étude de là médecine », travaillé dans une distillerie de Chapelizod, puis après fiasco, au National Liberal Club, pour devenir collecteur des taxes en attendant de terminer sa carrière dans les bistros, et venait d'épouser Mary Jane Murray, caractère craintif dont toute l'ambition était de tenir passablement son intérieur et d'élever ses enfants (elle en aurait treize) dans le respect de l'Eglise catholique. Sur le premier point, son mari n'allait pas tarder à la décevoir, lui imposant en quelques années une quinzaine de déménagements, dont plusieurs à la cloche de bois. Quant au second, il était bien tôt pour présager si le poupon qu'un Père O'Molloy avait baptisé James Augustine tournerait au cagot, à l'apostat ou au relaps.

Pour l'instant, d'ailleurs, la piété le cédait à la politique. La parole était aux grèves, aux bagarres, aux bombes. L'ordre anglais réduirait-il ces patriotes que la presse, déjà, nommait « rebelles »? Longtemps désordonnée, la lutte prenait, avec Parnell, une tournure décisive. Organisateur né, le « roi sans couronne » avait su vaincre l'anarchie, arracher un acte qui ruinait

Éternel retour : policiers et grévistes

les grands propriétaires et instaurer au Parlement de Londres une nouvelle pratique révolutionnaire : l'obstruction. Le 5 mai 1882, sa sortie de prison était fêtée dans Dublin en liesse, avec discours et retraite aux flambeaux. Le lendemain soir, pour souhaiter bienvenue au vice-roi, les Invincibles assassinaient à Phœnix Park les préposés anglais aux affaires irlandaises : lord Cavendish et Thomas Burke. Cinq ans plus tard, en accusant Parnell de complicité avec les terroristes, le *Times* déclencherait la fameuse enquête qui, après vingt-six mois d'interrogatoires et audition de quatre cent cinquante témoins et faux témoins, conclurait à la pure diffamation. Les temps changent, les méthodes restent.

Cependant, déjà mère de deux filles, Poppy et May, Mme Joyce avait mis au monde un deuxième garçon : Stanislaus junior. Suivraient dans l'ordre : Eva, Eileen, Florrie, Charles, George, Baby et trois enfants qui mourraient en bas âge. Là-dessus *une suggestion ingénieuse est celle que met en avant Mr Lynch (Bacc. Math.) qu'à la fois la natalité et la mortalité, aussi bien que tous les autres phénomènes d'évolution, mouvements des marées, phases lunaires, températures sanguines, maladies en général, tout, en un mot, dans l'immense atelier de la nature, depuis l'extinction de quelques soleils lointains jusqu'à la floraison de l'une des innombrables fleurs qui embellissent nos jardins publics, est soumis à une loi du nombre non encore déterminée. Néanmoins la*

brutalité de cette simple question : pourquoi l'enfant né de parents bien portants, lui-même d'apparence vigoureuse, et convenablement soigné, succombe-t-il inexplicablement dans sa première enfance (alors que d'autres enfants du même lit survivent), doit certainement, selon les paroles du poète, nous donner à penser (Ulysse). Stanislaus père y pensa-t-il ? En ce triple décès vit-il malédiction portée sur sa semence ? Châtiment d'un père autrement redoutable, qui est aux cieux, pour avoir lutiné telle dame de passage ou pinté l'argent familial en compagnie douteuse ?

Il avait pris ses garanties. Les confesseurs lui sauraient gré de prévenir leur pénitence en expédiant son fils dans un collège de jésuites, à Clongowes Wood. A la rentrée de 1888, le jeune James franchit donc la porte colossale de cet établissement qui deviendrait pour lui le Labyrinthe. Vieux château du Kildare aux murs couverts de lierre, aux fenêtres ogivales, aux longues ombres d'yeuses, Clongowes était devenu le bastion du modernisme, sous l'impulsion d'un Père Daly que Joyce nommerait Dolan. Aux disciplines traditionnelles, latin, rhétorique, on avait joint plus de science et de mathématique, et la pratique de sports variés. Exercices : *Les vastes cours de récréation fourmillaient de garçons. Tous criaient, et les préfets les excitaient de leurs voix plus fortes. L'air du soir était pâle et froid, et après chaque coup des joueurs, le ballon de cuir graisseux volait comme un oiseau lourd à travers la lumière grise* — études : *C'était l'heure du calcul. Le Père Arnall écrivait au tableau un problème difficile et disait : « Allons, à qui la victoire ? En avant, York ! En avant, Lancastre ! »* — repas : *La cloche sonna et les élèves commencèrent à défiler, sortant des classes et suivant les corridors dans la direction du réfectoire. Il s'assit, regardant les deux coquilles de beurre sur son assiette, mais il ne pouvait manger*

▲
Entrée du Labyrinthe : Clongowes Wood

le pain humide. La nappe était humide et flasque — offices : *Le préfet de la chapelle priait au-dessus de sa tête, et sa mémoire connaissait les réponses :*

O Seigneur, ouvre nos lèvres
Et nos bouches célébreront tes louanges.
Daigne nous assister, ô Dieu !
O Seigneur, hâte-toi de nous secourir !

Il y avait une odeur de froid et de nuit dans la chapelle, mais c'était une odeur sainte... Cette vie de Clongowes, Joyce en dit trop l'ennui dans *Dedalus* pour qu'il soit besoin d'enchérir. L'enfant souffrit là de brimades, de solitude, se fit peu d'amis, mais acquit cette culture classique sans laquelle l'écrivain n'eût jamais gouverné son œuvre si fermement. Et Valery Larbaud pourrait conclure dans sa préface à *Gens de Dublin* : « Je crois que l'audace et la dureté avec lesquelles Joyce décrit et met en scène les instincts réputés les plus bas de la nature humaine lui viennent, non pas, comme l'ont dit quelques-uns des critiques de son *Portrait de l'Artiste*, des naturalistes français, mais bien de l'exemple que lui ont donné les grands casuistes de la Compagnie. Quiconque se souvient de certains passages des *Provinciales*, et notamment de ceux où il est question de l'adultère et de la fornication, comprendra ce que je veux dire ; et il semble bien qu'au fond, derrière James Joyce, c'est Escobar et le Père Sanchez que la Société pour la Répression du Vice a poursuivis en police correctionnelle ! »

Au sortir de Clongowes, Joyce était loin, d'ailleurs, d'être quitte avec ces maîtres à penser. Il lui restait à les subir au Belvédère et jusqu'à l'Université. Il lui restait surtout à traverser une crise religieuse si dramatique qu'il songerait un instant à prendre la soutane, et n'en serait sauvé que par la découverte conjointe de la femme et de la poésie.

Trinity College

Sauvé ? En ce Dublin qu'il peuplait de ses héros, de ses poètes, au point de savoir *d'avance qu'en traversant les terrains marécageux de Fairview il penserait à la prose claustrale, veinée d'argent, de Newman ; que dans la rue de la Plage-Nord, tout en jetant des regards oisifs sur les boutiques de comestibles, il se rappellerait la mélancolie de Guido Cavalcanti, et sourirait ; que, devant les tailleries de pierres de Baird, place Talbot, le génie d'Ibsen le traverserait comme un vent frais, comme un souffle de beauté rebelle et juvénile ; et qu'en face d'une méchante boutique d'articles pour marins, de l'autre côté de la Liffey, il répéterait le chant de Ben Jonson qui débute ainsi : « Je n'étais pas plus las, couché »*... en ce Dublin dont il parcourait, comme à la quête de lui-même, les quais, les places, les venelles, se croisaient déjà des voix peu catholiques :

— *Hé, Bertie, tu te décides ?*

— *C'est toi, mon pigeon ?*

— *Numéro dix. Une Nelly toute neuve pour toi !*

— *Bonsoir, petit mari. Tu nous donnes un moment ?*

La ville était entrée dans un long crépuscule, mais au cœur de ces ténèbres attendait la révélation : *Comme il restait en silence au milieu de la chambre, elle vint à lui et le prit dans ses bras, gaîment et posément. Ses bras ronds le tenaient serré contre elle, et lui, voyant ce visage levé vers le sien avec un calme réfléchi, sentant ce calme tiède monter et descendre avec le rythme des seins, il fut sur le point de fondre en larmes hystériques... D'un mouvement soudain, elle lui inclina la tête, unit ses lèvres aux siennes et il lut le sens de ses mouvements dans ces yeux francs levés vers lui. C'en était trop. Il ferma les yeux, se soumettant à elle, corps et âme, insensible à tout au monde, sauf à la farouche pression de ses lèvres qui s'entrouvraient doucement. C'était son cerveau qu'elles pressaient en même temps que sa bouche, comme si elles eussent été le véhicule de quelque vague langage ; et entre ces lèvres il sentit une pression inconnue et timide, plus ténébreuse que la pâmoison du péché, plus douce qu'un son ou qu'un parfum.* (Dedalus)

Et dirons-nous maintenant, comme certain critique, que Joyce perdit la foi dans le lit d'une fille publique ? Lui-même s'en défend peu, qui se peint volontiers étudiant saint Thomas entre *deux vénériennes beautés, Nini Pomme d'Api et Rosemonde la pouffiasse du port.* Mais il y avait beau temps qu'une foi plus profonde était en lui brisée.

La victime exemplaire, Parnell.

On excepte à grand tort les enfants de l'histoire : ils vivent souvent les événements avec plus de passion que maints adultes. Or, de glorieuse, l'histoire tournait à l'infamie. Débarrassé de ses calomniateurs, Parnell n'avait évité la potence que pour donner dans le traquenard. Le 24 décembre 1889, un capitaine O'Shea demandait le divorce en accusant sa femme d'être la maîtresse du tribun. La curée commença. Tout ce que l'Irlande et l'Angleterre comptaient de bigots et de traîtres se détourna avec horreur du libertin et, conséquemment, des idées qu'il défendait. Gladstone même, ce Gladstone qui avait joué son ministère sur le Home Rule, coupa les ponts. Le parti condamna. Le clergé renchérit. Abandonné, déshonoré, Parnell alla mourir chez l'ennemi, à Brighton. L'Irlande paierait fort cher et fort longtemps cette ignominie qui, en la privant de son dernier soutien, la restituait à ses maîtres séculaires : les tartufes, les songe-creux et les agitateurs.

Pausons. Le drame se noue ici. Il est certain que la défiance dont Joyce fit toujours preuve envers sa patrie comme envers l'amour, l'amitié, la religion, les nobles causes, eut ce scandale pour origine.

— *En ce moment, il n'y a que de la politique dans les journaux, dit-il. Est-ce que tes parents en parlent aussi ?*

— *Oui, dit Stephen.*

— *Les miens aussi, dit l'autre.*

C'est peu de dire que les Joyce étaient parnellistes : ils avaient fait du héros leur dieu. Sa disgrâce, son agonie, sa fin leur furent autant de surprises intolérables, qui les dressèrent contre tels catholiques de leurs amis. La fameuse scène de Noël dans *Dedalus*, le repas où les invités en viennent aux insultes, montre quelle violence atteignirent ces dissensions :

POBLACHT NA H EIREANN.

THE PROVISIONAL GOVERNMENT
OF THE
IRISH REPUBLIC
TO THE PEOPLE OF IRELAND.

IRISHMEN AND IRISHWOMEN: In the name of God and of the dead generations from which she receives her old tradition of nationhood, Ireland, through us, summons her children to her flag and strikes for her freedom.

Having organised and trained her manhood through her secret revolutionary organisation, the Irish Republican Brotherhood, and through her open military organisations, the Irish Volunteers and the Irish Citizen Army, having patiently perfected her discipline, having resolutely waited for the right moment to reveal itself, she now seizes that moment, and, supported by her exiled children in America and by gallant allies in Europe, but relying in the first on her own strength, she strikes in full confidence of victory.

We declare the right of the people of Ireland to the ownership of Ireland, and to the unfettered control of Irish destinies, to be sovereign and indefeasible. The long usurpation of that right by a foreign people and government has not extinguished the right, nor can it ever be extinguished except by the destruction of the Irish people. In every generation the Irish people have asserted their right to national freedom and sovereignty; six times during the past three hundred years they have asserted it in arms. Standing on that fundamental right and again asserting it in arms in the face of the world, we hereby proclaim the Irish Republic as a Sovereign Independent State

11
6863

AU PRINTEMPS

LAGUIONIE & Cie, Sté Cte par Action, Cap. 288.280.300 F
64, BOULEVARD HAUSSMANN, PARIS-9e
R. C. Seine 55 B 7502 Téléph. 285-22-22

147
Rayon

Eco 2.392

Non timbrée cette fiche ne peut servir d'acquit

Rensts

Papillon du Carnet d'Achat

Quantités	DÉSIGNATION	Prix Unitaire	Prix Global
1	pantalon		70

Date 8-10-88 Vendeur

TOTAL 70

EN CAS D'ÉCHANGE, CETTE FICHE VOUS SERA RÉCLAMÉE

LE SERVICE A LA CLIENTÈLE

EST NOTRE RAISON D'ÊTRE

Aidez-nous à l'améliorer

en faisant part de vos

CRITIQUES

et de vos

SUGGESTIONS

au Printemps

DIRECTION DE LA VENTE

64, Boulevard Haussmann

PARIS 9e

— Oh! il se rappellera tout cela quand il sera grand, fit Dante avec chaleur. Il se rappellera les propos qu'il a entendus contre Dieu, contre la religion et contre les prêtres, dans sa propre maison.

— Et qu'il se rappelle aussi, lui cria Mr Casey par-dessus la table, les propos par lesquels les prêtres et leur clique ont achevé Parnell et l'ont conduit au tombeau! Qu'il se rappelle cela aussi, lorsqu'il sera grand!...

— Démon de l'enfer! Nous l'avons vaincu! Nous l'avons écrasé! Satan!

La porte claqua derrière elle. Mr Casey, dégageant ses bras de ceux qui le tenaient, laissa soudain tomber sa tête dans ses mains avec un sanglot de douleur.

— Pauvre Parnell! cria-t-il. Mon roi défunt!

Il sanglotait bruyamment, amèrement. Stephen leva son visage terrifié et vit que les yeux de son père étaient pleins de larmes.

Devant l'ingratitude d'une nation qui sacrifiait ainsi ses défenseurs à la prêtraille, un cri : *Pas de Dieu pour l'Irlande! Nous n'avons eu que trop de Dieu en Irlande! Hors d'ici, Dieu!* Et ce cri qui retentirait en toute son œuvre, le jeune Joyce n'attendit guère pour le pousser : l'indignation dicta son premier écrit, *Et tu, Healy!* contre l'un des Judas de ce Thermidor... Et là commence la rupture, la blessure secrète : désormais l'Irlande ne serait plus que terre d'injustice, ce pays *où le traître apparaît toujours au moment critique*, cette *malheureuse race opprimée par les prêtres*, à laquelle il faudrait clamer de dures vérités : *Depuis l'époque de Tone jusqu'à celle de Parnell, pas un seul homme honorable et sincère ne vous a sacrifié sa vie, sa jeunesse, ses affections, sans que vous l'ayez vendu à l'ennemi, ou abandonné dans le besoin, ou diffamé, ou délaissé pour en suivre un autre*, etc. De *Gens de Dublin* à *Finnegans Wake*, l'accusation recenserait les motifs de cette fourberie perpétuelle : la superstition, le chauvinisme, l'Église, l'Angleterre... Elle nourrirait aussi certaine vindicte contre la femme qui avait servi de prétexte au malheur, comme jadis cette reine, épouse de Borou, avait livré les provinces à l'invasion. Antinationalisme, anticléricalisme, antiféminisme, trois thèmes essentiels de Joyce, se rencontrent donc dans la tragédie dont son enfance fut témoin ; à ses yeux, la chute de Parnell devint le crime qui interdisait toute confiance en l'humanité, et dont la victime, bafouée, reniée, persécutée, préfigurait le destin même de l'écrivain : l'exil.

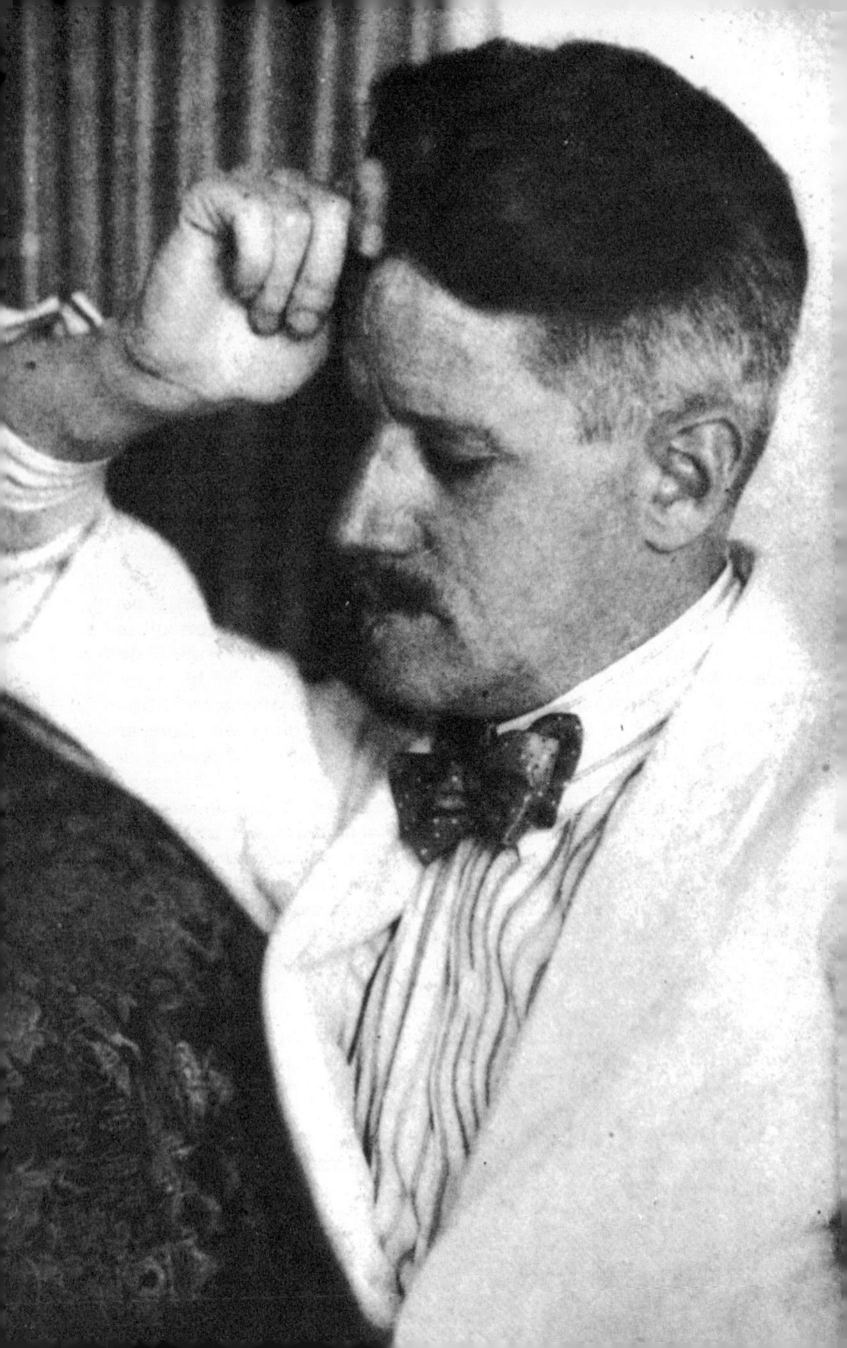

En exil, disons-nous, mais il convient ici de distinguer. Il y a l'exil économique et l'exil spirituel.

Les Exilés

EXILS

Te souvienne, Erin, tes générations et tes anciens jours, et comment tu as fait fi de moi et de ma parole et ouvris mon huis à l'étranger pour qu'il forniquât à ma vue, et pour grasse devenir et folâtre à l'instar de Jeshurum. C'est pourquoi tu as péché contre la lumière et moi, ton seigneur, tu m'as fait l'esclave des serviteurs. Retourne, retourne, Clan Milly : point ne m'oublie, ô Milésienne ! Pourquoi as-tu commis à ma vue cette abomination de me préférer un marchand de jalap et pourquoi m'as-tu renoncé devant le Romain et l'Indien au parler de ténèbres avec lesquels tes filles ont partagé leur couche luxurieuse ? Maintenant regarde devant toi ô mon peuple la terre de la promesse ; de l'Horeb et du Nébo et du Pisgah et des Cornes de Hatten regarde vers une terre où coulent à flots le lait et le miel. Mais tu m'as allaité d'un lait amer ; mon soleil et ma lune, tu les as éteints à toujours ! Et tu m'as laissé seul pour jamais dans mes voies d'amertume ; et n'as-tu point d'un baiser de cendres baisé ma bouche ? (Ulysse)

Te souvienne... Comme l'histoire d'Erin, la vie de Joyce se divise à l'exil du héros. Avant, c'est l'enfance, un temps dont la mémoire persistera comme la beauté lointaine du soleil. En cet âge, tout est charme, sourire : une nature parée de neiges et de fleurs offre ses aubes bleues, ses plages blondes, ses ruisseaux de cristal ; les humains même se meuvent en un rêve idyllique, une joie naïve couronne leurs maintes grâces ; fertile, généreux, paisible, le monde évoque cette allégorie de l'Irlande ancienne où l'on voit paître aux riches prés, sous l'œil de la déesse, les moutons, les vaches et les cerfs. Innocence, tes jours sont bucoliques :

Mon âme, laisse là les songes moites de rosée,
Laisse là les torpeurs et les trépas d'amour.
Vois ! L'arbre est tout soupirs, de qui le jeune jour
Chaque feuille a tancée.

A l'orient l'aurore graduelle gagne
Où doucement rougeoient des feux tantôt surgis,
Et fait bouger les ors et frissonner les gris
D'impalpables toiles d'aragne.

Tandis que par vertu ineffable et secrète
Les carillons fleuris du matin vont branlant
Et que les savants chœurs du grand enchantement
Innombrables ! ouvrent la fête.

Cette imagerie romantico-pastorale est justement celle du premier recueil de Joyce : *Musique de Chambre*. Améthyste du couchant, cordes dans l'air, saules près des étangs, bugles des chérubins, vents de mai sur la mer, timide lune, douces dames chantantes, jardins d'ombre, il faut quelque imagination pour percevoir en ces ariettes un écho des chansons élizabéthaines, quand un autre nom s'impose : Verlaine.

Ah, c'était là-bas en Donnycarney...
La chauve-souris d'arbre en arbre allait,
Et nous cheminions côté à côté,
Ah, les mots, les mots qu'elle me disait !

La brise d'été le long du chemin
Nous soufflait tout bas sa félicité,
Mais plus doux combien que souffle d'été,
Ah, ce baiser-là qu'elle m'a donné !

Rien, certes, n'annonce en ces mièvreries le prodigieux démiurge de *Finnegans Wake*. Rien, pourtant, ne révèle mieux Joyce que ces frêles poèmes qui, de *Musique de Chambre* à *Ecce Puer*, seront le lieu de sa nostalgie, de sa tristesse :

Ciel sans oiseaux mer cendre une étoile en peine
Qui perce l'occident
Et d'une amour mon cœur incertaine et lointaine
Te souvenant.

Et qu'il songe au passé, à l'enfance, à l'Irlande, reviendra la même complainte : retrouver cet âge où le monde ignorait la souillure et la honte...

Athéna « antique et mystérieuse
... humble forme d'une immortelle ».

Mon amour tu entends
Comme douce est sa voix et triste qui toujours supplie
Et toujours sans réponse et cette sombre pluie
Alors comme à présent.

Évanoui, ce règne primordial n'en subsiste pas moins quelque part. Sa disparition même n'est point si certaine qu'il ne hante encore nos tristes temps. On dirait qu'évincé de l'histoire il se perpétue dans la nature, où là-bas, loin des villes, loin des calamités, rayonne sa pure innocence. Tout au long des poèmes, des nouvelles, des romans, certaines substances jouiront ainsi, pour Joyce, d'une propriété paradisiaque. Elles introduiront discrètement dans cette existence le souvenir d'une autre, miraculeuse. Par exemple, dans *Ulysse*, le lait. Le lait qu'apporte au matin, messagère des immortels, la vieille paysanne, le lait cousin du miel, qui coulera de chapitre en chapitre jusqu'à devenir enfin ce lait céleste des étoiles. Lait généreux, magique, dont les méandres dessineront, derrière l'intrigue, une campagne édénique où s'égaieront les troupeaux *de sonnaillers et de massives mères brebis, de béliers à leur première tonte, d'agneaux, d'oies d'automne, de jeunes bœufs, de juments renâclantes*, et ainsi de suite. Ce substrat champêtre, symbole antique de

la terre, d'où procèdent encore l'arbre, la fleur, le bois, le sang, trouve pour contrepartie tout l'élément marin. Sacrées, lustrales, les eaux entretiendront dans notre monde un cycle intemporel ; c'est ainsi qu'à la turpitude dublinoise *Ulysse* opposera les fraîches merveilles de la mer : *le mystère de ses sources, le mouvement perpétuel de ses vagues, sa vastité océanique sur la carte de Mercator, son ubiquité, sa force latente, ses vertus curatives, ses métamorphoses en vapeur, brume, nuage, pluie, grésil, neige, grêle*, sa clémence : *elle est notre mère grande et douce*, sa virginité : *sein blanc de la mer nébuleuse*, sa majesté : *fée verte, reine nue rayonnante*, son blason : *or, vin, gris, vert-pituite, bleu-argent, rouille, coquedecacao, vif-argent qui vacille sur la sombre marée*, sa musique enfin, aux *accents enlacés deux à deux, une main cueillant les cordes de la harpe et mêlant leurs accords jumeaux...*

Cette musique, cette mémoire d'un paradis profondément perdu dans les années, les personnages joyciens en seront souvent visités. Elle forme, au tréfonds de leur être, comme une source cachée qui jaillit au hasard des mots, des heures, des paysages. Ce sera, dans *Arabie*, les syllabes mêmes de ce vocable en lequel, dira l'enfant, *mon âme baignait luxueusement*, et qui projette autour de lui *comme un enchantement oriental*. Ce sera, dans *Eveline*, cet *air mélancolique* qui rappelle à l'héroïne sa mère défunte. Ce sera, dans *Un petit Nuage*, les vers de Byron où Chandler entrevoit la splendeur de la terre. Ce sera, dans *Les Morts*, la mélodie qui ravive en Gretta le souvenir de son amour. Ce sera, dans *Dedalus*, l'appel des *hauts navires*, devant lesquels Stephen, écolier d'*Une Rencontre*, imaginait des *histoires de nations lointaines*. Ce sera, dans *Ulysse*, l'orient chimérique où Bloom envisage d'aller planter des orangers, ou *l'inépuisable mine d'or* qu'il attend toujours de découvrir, ou la propriété *couverte en chaume, exposée au midi, surmontée d'une girouette et d'un paratonnerre*, qui pourrait à la rigueur abriter ses vieux jours ; et ce Gibraltar où Molly s'est donnée pour la première fois et dont elle garde l'image extatique : *la mer écarlate quelquefois comme du feu et les glorieux couchers de soleil et les figuiers dans les jardins de l'Alameda*. Ce sera, dans *Finnegans Wake*, la nuit où germent tous les rêves, la grande nuit océane où va se perdre Anna Livia : *Est-ce Gris-naze Poulbeg au phare-ouest, là, là-bas ou un bateau à feu qui côtoie preto Kishtna, ou une lueur se dévalant dans une haie ou mon Garry qui revient des Indus ? Attends moun amour que la lune sy mielle. Meurs petite soeir, petite soeir meurs. Dans tes yeux on voit le paradieu...* Géographique ou spirituel, ce sera toujours au lieu d'innocence que les déchus s'efforceront de revenir, car c'est bien de cette patrie qu'ils se savent, d'abord, les exilés.

Richard : *Elle m'a chassé ! A cause d'elle, j'ai vécu des années d'exil et de pauvreté.* Stephen : *Elle baisse sa vieille tête devant celui qui parle haut, son rebouteux, son médicastre : elle m'ignore.* Elle : l'Irlande. Mais encore ? La famille, la religion, l'histoire, la vie même. Car plus la plainte se fait amère, plus vague se fait l'accusation. *Ceant soucis*, geint la rivière, *dîme d'ennuis, et pas un saul qui me comprenne.* Qui sait dire où le mal commence ? En vérité, tout est en cause, et la mort d'un Parnell n'est en soi qu'une des innombrables figures de la chute. Voilà pourquoi les situations se répondent, se répercutent : l'Irlande envahie, exilée d'elle-même, évoquant aussi bien Adam chassé d'Eden qu'Ithaque aux mains des prétendants, Ulysse à la recherche du royaume que Télémaque à la recherche de son père, Moïse en route vers la terre promise que le Juif errant en quête du salut, Hamlet spolié par l'usurpateur que Stephen abusé par l'Église ou Bloom par les séducteurs de son épouse... De l'infiniment grand à l'infiniment petit, tout se répète inlassablement, car nous sommes ici dans l'ordre du relatif, où le monde, comme un jeu de glaces, ne nous permet que de passer de simulacre en simulacre. « La vraie vie est ailleurs » ; nous en pouvons rêver, comme Léopold à ses cultures exotiques, mais sans espoir de jamais la rejoindre. Condamnés au temps, au *cauchemar de l'histoire*, il ne nous reste qu'à décrire notre condition, à dénombrer nos visages, nos masques, nos pensées, nos malheurs, nos plaisirs et nos besognes de proscrits.

Ce que le monde révèle ainsi : sa vanité. De tous les signes de notre déchéance, il n'en est point de mieux partagé. Contemplées d'un peu haut, les opérations humaines apparaissent aussitôt d'une égale futilité. Telles que ? Les métiers, par exemple : *les sociétés, les corporations, les milices, étendards déployés : tonneliers, oiseleurs, constructeurs de moulins, courtiers en publicité, notaires, masseurs, taverniers, bandagistes, ramoneurs, fabricants de graisses alimentaires, tisseurs de bengaline et de popeline, maréchaux-ferrants, revendeurs italiens, décorateurs d'églises, fabricants de chausse-pieds, entrepreneurs de pompes funèbres, marchands de soieries, lapidaires, vendeurs aux enchères, bouchonniers, inspecteurs d'assurances, teinturiers-dégraisseurs, exportateurs de bière en bouteilles, pelletiers, imprimeurs d'étiquettes, graveurs de sceaux et armoiries, employés de manège, courtiers en métaux précieux, fournisseurs pour le cricket et le tir à l'arc, fabricants de cribles, mandataires en œufs et pommes de terre, bonnetiers, gantiers, entrepreneurs de plomberie.* Et telles que ? Les divertissements : *jeux de salon (dominos, alma, puce, jonchets, bilboquet, Napoléon, écarté, besigue, trente et quarante, chien de pique, dames, échecs ou trictrac) ; broderie, ravaudage ou tricot pour l'Œuvre du Vêtement ; duos d'instruments, mandoline et guitare, piano et flûte, guitare et piano ;* les sports : *jardinage et travaux des champs, cyclisme en plat sur des chaussées macadamisées, ascension de collines de faible altitude, natation en eau douce dans un coin tranquille et canotage de tout repos en rivière*, et quant à la culture : *discussions au sein d'une tiède sécurité des problèmes non résolus de l'histoire et des annales criminelles, la lecture des chefs-d'œuvre érotiques orientaux et non expurgés, un établi d'amateur avec boîte à outils comprenant marteau, poinçon, clous, vis, semences, vrille, tenailles, rabot, tournevis,* etc. (Ulysse)

Ces énumérations grotesques, interminables, ne relèvent point de la seule plaisanterie. Si elles visent à frapper l'humanité de ridicule, elles visent surtout à déduire les conséquences de son état. L'âge d'or aboli, le monde ne présente plus que les dehors du chaos. Tel Ulysse errant d'île en île, l'esprit n'a désormais d'autre recours que l'inventaire des apparences, dont il espère, en les recensant, réduire la confusion. Ayant perdu « la clé de cette parade sauvage », Joyce accomplit dans le roman la révolution que Rimbaud accomplissait en poésie : à la quête de l'unité succède la quête de la totalité. Ici commence cette littérature qui ne comportera plus, comme la traditionnelle, ses temps forts, ses temps faibles, ses paragraphes de bravoure, mais qui tâchera minutieusement, désespérément, de décrire l'immensité de notre exil. De là ce ton soutenu, sans défaillance, cette attention portée aux phénomènes insignifiants comme aux événements essentiels, ces variations continuelles de thèmes et de perspectives, et cette œuvre enfin, monumentale, impersonnelle.

Vanité du monde, donc, et ses ridicules. Ce n'est pas sans raison qu'Ezra Pound fait sortir *Ulysse* de *Bouvard et Pécuchet* : comme Flaubert, Joyce est un obsédé de la bêtise. Le contraste entre des jours alcyoniens, que Gabriel qualifie de *spacieux*, et cette mesquinerie de l'actualité forme même le motif majeur de *Dubliners*. Qu'on relise, par exemple, l'admirable nouvelle *Ivy Day in the Committee Room (On se réunira le 6 octobre)*, la veillée des anciens compagnons de Parnell qui, assemblés pour fêter sa mémoire, improviseront pour tout hommage une beuverie et quelques stances d'une rare platitude, et l'on mesurera l'horreur d'une société dont la grandeur s'est retirée, vers quelles rives ? Hors du temps. Aussi les morts assumeront-ils, pour Joyce, la dignité qu'ont perdue les vivants. Parnell, Michael Furey, Rudy Bloom, Mme Delalus seront plus présents dans leur nuit et leur silence que *les heureux bougres pour qui le monde audible, visible, connaissable et comestible existe ;* le Spectre de *Hamlet* l'emportera, selon Stephen, sur les créatures qui ne sont ici-bas que ses ombres ; et les banalités qu'on débitera, dans *Les Sœurs,* devant le cercueil du vieux prêtre ou, dans *Ulysse,* à l'enterrement Dignam nous convaincront que l'enfer n'est point dans l'au-delà. La bêtise épanouie, gorgée, luxuriante, qui gouverne les Dublinois comme Circé ses pourceaux, voilà donc la déesse à laquelle sacrifient les personnages de Joyce, et dont lui-même, méchamment, prend le parti de se gausser.

Cette reconnaissance universelle de la sottise ne va pourtant pas sans résistance, et bien avant que l'humoriste s'en réjouisse, le poète ne laisse point de s'en indigner. Toute la fin de *Dedalus* dresse, en quelque sorte, le catalogue des niaiseries contemporaines : *En compagnie de Lynch, suivi d'une infirmière volumineuse. Initiative de Lynch. Déteste cela. Deux maigres lévriers faméliques trottant derrière une génisse — Un jour je suis allé voir un diorama à la Rotonde. A la fin, il y avait des portraits de gros bonnets, entre autres William Ewart Gladstone, qui venait de mourir. L'orchestre jouait :* O Willie, vous nous manquiez. *Race de culs-terreux!* Et c'est devant ce monstre d'indigence que Stephen avouera : *J'ai peur de lui. Peur de ses yeux pareils à de la corne et bordés de rouge. C'est contre lui que je dois me débattre tout au long de cette nuit, jusqu'à ce que vienne le jour, jusqu'à ce que l'un de nous tombe mort.* Or la brute a de la santé. Elle n'a même jamais été plus florissante qu'en cette époque où, brusquement, Joyce déclenche les hostilités. Car, tandis que Yeats, avec ses *Poèmes*, ses *Voyages d'Ossian*, lady Gregory, avec son nouveau théâtre, tentent naïvement de sauver le celtisme,

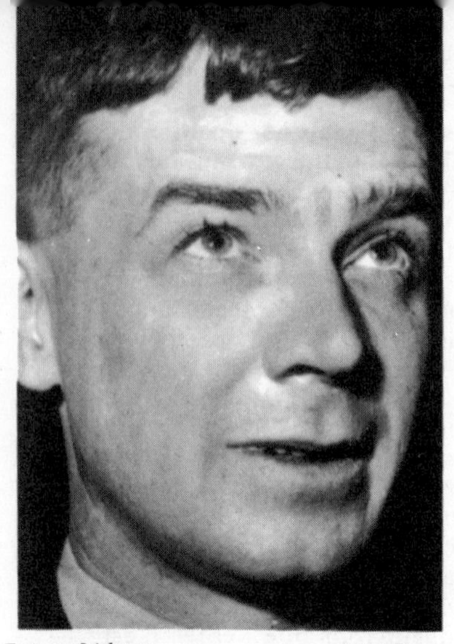

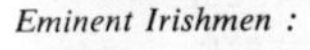

Eminent Irishmen : J. M. Synge A. E. (G. Russell)

tandis que Martyn acclimate Ibsen, Moore les naturalistes, et que se lève une pléiade de talents : A. E. (George Russell), J. M. Synge, Padraic Colum, etc. les chauvins exercent déjà une telle dictature, qu'un obscur Moran ose clamer : « Pratiquement, personne en Irlande ne comprend Mr Yeats et son école, et l'on ne saurait, ce me semble, adresser plus grave reproche à des écrivains. En effet, si un écrivain n'est pas apprécié ni compris, de quelle utilité est-il ? »

C'est en quittant le Belvédère pour l'Université, l'an 1898, que Joyce aperçut et le péril et le remède. S'il fut tenté de s'engager, en s'inscrivant aux cours d'irlandais de Pearse, ses dispositions le portèrent vite vers la révolution autrement radicale qui s'accomplissait en Europe. Il découvrait, émerveillé, Ibsen, Hauptmann, D'Annunzio, Flaubert, Maupassant, Maeterlinck, Verlaine, Mallarmé, Huysmans, Dostoïevski, Wilde, James, Nietzsche, dans le temps où ses compatriotes déterraient Cuchulainn. Et ces lectures étaient encore loin d'épuiser sa curiosité pantagruélique : dans cette Université, qui comptait pour anciens élèves le cardinal Newman et Gerard Manley Hopkins, l'étudiant, déjà maître des langues latines, lecteur d'Homère, d'Aristote, de Dante, de saint Thomas, de Shakespeare, attaquait le norvégien, l'allemand,

G. B. Shaw

W. B. Yeats

les mathématiques, l'économie, s'instruisait de médecine auprès des carabins, et divulguait ses vues sur l'esthétique aux futurs personnages de ses romans : Francis Byrne (Cranly), Vincent Cosgrave (Lynch), Francis Skeffington (Mac Cann), George Clancey (Davin)... tous ces nationalistes qui, lorsqu'ils le prieraient de signer leur pétition contre Yeats ou leur manifeste pour la paix universelle, se verraient vertement éconduire :

— *Cette affaire ne m'intéresse pas le moins du monde, dit Stephen avec ennui. Vous le savez fort bien. A quoi rime toute cette scène ?*

— *Bien, dit Mac Cann, en claquant des lèvres. Alors vous êtes un réactionnaire ?*

— *Croyez-vous m'impressionner en brandissant votre sabre de bois ?*

Tout Joyce est déjà en cette résistance. A d'autres l'utopie, le fanatisme, *l'Irlande, les Dalcatiens, espoirs, conspirations ;* assurément ce ne serait pas lui qui baisserait pavillon devant Mr Moran ; le pamphlet qu'il allait publier, en 1901, le montrerait assez : *Aucun homme, dit le Nolan* (entendons Giordano Bruno), *ne saurait être épris du vrai et du bien sans abhorrer la multitude, et l'artiste, quoiqu'il puisse faire usage de la foule, veille soigneusement à s'en isoler. Ce principe radical de l'économie artistique convient particulièrement à un temps de crise, et aujourd'hui que la plus haute forme d'art vient d'être préservée par des sacrifices désespérés, il est étrange de voir l'artiste composer avec la populace... Le Théâtre Littéraire Irlandais s'est proclamé le champion du progrès et a déclaré la guerre au commercialisme et à la vulgarité. Il avait en partie tenu promesse et exorcisé le vieux démon, lorsqu'à la première escarmouche il s'est soumis à la volonté populaire. A présent ce démon populaire est encore plus dangereux que celui de la vulgarité... Il l'a emporté, une fois encore, et le Théâtre Littéraire Irlandais est à considérer maintenant comme la propriété de la racaille de la race la plus arriérée d'Europe.* (Le Triomphe du Vulgaire)

Contre cette capitulation, Joyce avait déjà produit ses références. Son essai *Le Nouveau Drame d'Ibsen*, paru dans la *Fortnightly Review* de Londres, opposait à toute démagogie l'intransigeance d'une œuvre *accomplie dans l'ordre le plus sûr*, dédaigneuse des scandales qu'elle provoquait. On peut sourire aujourd'hui d'une telle admiration envers celui que Nietzsche qualifiait de « vieille fille » ; cet article, le premier que Joyce ait publié, n'en recèle pas moins des thèmes prophétiques : l'idée qu'une journée suffit, comme dans *Solness*, pour exprimer une vie entière ; la résolution de *peindre des vies moyennes dans une vérité sans fard* ; l'affirmation, surtout, que l'artiste doit être aussi détaché de ses créatures que de la morale et de la société, qu'il doit rester, comme Dieu, *à l'intérieur, ou derrière, ou au-delà, ou au-dessus de son œuvre, invisible, subtilisé, hors de l'existence, indifférent, en train de se curer les ongles.*

C'est ce manque d'objectivité que Joyce déplore chez les velléitaires du Théâtre Irlandais qui promettaient des chefs-d'œuvre européens et qu'une centaine d'énergumènes trépignant dans une salle ont réduits au régionalisme. C'est contre les uns et les autres qu'il va promulguer sa morale : puisque *le programme des patriotes lui inspirait des doutes bien fondés et n'obtenait sur aucun point son assentiment intellectuel*, il se refuserait, pour commencer, *à entreprendre la moindre tâche dont la réussite devait être compromise d'avance par des serments qu'il ferait à sa* patria. Persuadé, d'autre part, que personne ne rend à sa génération *un service plus grand que celui qui, soit par son art, soit par son existence, lui apporte le don d'une certitude*, que le poète est même le centre de son époque, *avec laquelle nul autre n'a de rapports plus essentiels que les siens*, pour *forger la conscience incréée de* sa *race*, Joyce suivrait les seuls impératifs de son génie, dût-il instituer en littérature une franchise totale : *Les publicains et les prêteurs sur gages qui vivent des misères du peuple emploient une partie de leurs profits à caser leurs fils et leurs filles dans la religion, afin qu'ils prient pour eux. Un de vos professeurs à l'école de Médecine, celui qui vous enseigne la science sanitaire ou la médecine légale ou Dieu sait quoi encore, est en même temps propriétaire de toute une rue de bordels, à moins d'un mille de l'endroit où nous sommes* (Stephen le Héros). Enfin, résolu à *tout dire*, comme les comédiens de *Hamlet*, il irait, si nécessaire, jusqu'aux derniers reniements : *Je ne veux pas servir ce à quoi je ne crois plus, que cela s'appelle mon foyer, ma patrie ou mon église. Je veux essayer de m'exprimer, sous une forme quelconque d'existence ou d'art, aussi librement et aussi complètement que possible, en employant pour ma défense les seules armes que je m'autorise à employer : le silence, l'exil, la ruse... Je ne crains pas d'être seul, ni d'être repoussé au profit d'un autre, ni de quitter quoi que ce soit qu'il me faille quitter. Et je ne crains pas de commettre une erreur, même grave, une erreur pour toute la vie, pour toute l'éternité aussi peut-être.* (Dedalus)

Il y avait donc *des semaines et des semaines* que Joyce connaissait en son pays le pire exil, quand il se résolut, comme Télémaque, à « voguer dans la brume des mers ». Après des sorties si véhémentes, il ne restait guère qu'à planter là le *faubourg Saint-Patrice*, et à grossir l'essaim des *oies sauvages* qui, chaque année, fuyaient leur ingrate patrie. Les derniers mois se passèrent à traduire *Avant que le soleil se lève* et *Michael Kramer* de Gerhart Hauptmann, à composer des vers, à ébaucher un drame, *Une Brillante Carrière*, que le traducteur d'Ibsen, William Archer, faillit goûter, à recevoir d'Ibsen lui-même une lettre encourageante, à publier une étude, dans *St Stephen's*, sur le poète James Clarence Mangan, autre excentrique, et à mettre en musique certains de ses morceaux, à passer avec succès le B. A., à prendre un discret congé de la discrète Emma Clery... et un jour de décembre 1902, sur les eaux grises du canal Saint George, Joyce vit s'éloigner les dômes de la ville maudite. Dans la valise qu'il allait traîner, *six sous un porteur*, au long de *la jetée visqueuse de Newhaven*, il emportait les premières pages d'une autobiographie et quelques dissertations d'esthétique.

Mon âme chemine avec moi,
forme des formes.
Ulysse

ÉPIPHANIES

Le terminus était Paris. Il fallait une forte inconscience pour espérer y vivre sans emploi. Le bon Yeats, qui attendait à Londres l'enfant prodigue et, plusieurs jours, se fit un devoir de le promener et de le nourrir, entreprit de lui trouver quelque commande. La liberté commença donc par une visite circulaire des magazines et quotidiens : un Mr Hind, directeur d'*Academy*, fut vague ; un Mr Dunlop, éditeur de *Men and Women*, se réserva ; Arthur Symons, critique bien connu, consentit à rendre compte, si jamais on les publiait, des poésies de ce jeune homme qui lui faisait l'effet « d'un curieux mélange de génie sinistre et de talent incertain », et le reste est silence. Joyce se retrouva dans une chambre de l'Hôtel Corneille, rue Corneille, dans ce Paris mal remis de l'affaire Dreyfus, où de beuglants en hippodromes s'étourdissait la « belle époque », ce Paris des nouveaux riches et des chômeurs, des noceurs et des policiers, des lorettes et des officiels, ce Paris joyeusement lugubre, si infatué de sa « culture » : *Mille lieux de plaisir pour prodiguer vos soirées avec jolies dames qui vendent les gants et autre chose peut-être son cœur brasserie établissement tiptop à la mode very excentric tas de cocottes-là huppées nippées comme qui dirait princesses dansent le cancan et qui marchent clowneries parisiennes extra idiotes pour célibataires étrangers quand même elles parlent mauvais anglais faut voir comme ça est calé sur la bagatelle et les sensations voluptueuses. Gintlemen copurchics ils doivent visiter pour son plaisir ciel et enfer spectacles avec bougies mortuaires et larmes d'argent tous les soirs. Moquerie comme ça absolument very shocking de la religion y a pas dans le monde entier. Toutes les chics girls qui entrent à l'intérieur bien modestes elles se déshabillent et piaillent pour voir l'homme-vampire faire l'amour avec une religieuse tout ce qui a de plus jeunette avec dessous troublants... Grand succès de rire.* (Ulysse)

Et ce fut le début d'une longue misère. Je vois Joyce tenter d'étudier la médecine et, devant les frais d'inscription, renoncer ; je le vois présenter timidement des introductions à des larbins qui lui claquent la porte au nez ; je le vois enseigner l'anglais à quatre cancres et jouer les pique-assiette chez un Dr Rivière ; et arpenter les rues neigeuses, le ventre vide, quand trois sous manquent pour un bouillon rue Saint-André-des-Arts ou une omelette chez Polidor, rue Monsieur-le-Prince ; et s'attabler, comme Malte Laurids Brigge, dans les bibliothèques pour lire un poète, un théologien, se chauffer un peu ; et souffrir d'abcès dentaires, de conjonctivite, de maux d'estomac ; et porter sa veste au Mont-de-Piété pour n'en point tirer un centime : trop sale ! et charrier une valise de moins en moins reluisante dans des garnis de plus en plus minables ; et se résoudre, en désespoir de cause, à écrire des billets du genre :

Chère mère,

Ton mandat de 3 shillings 4, de mardi dernier, a été le bienvenu, car je n'avais rien mangé depuis 42 heures. Aujourd'hui, cela fait 20 heures que je suis sans nourriture. Mais ces charmes du jeûne me sont maintenant familiers, et quand je reçois de l'argent, j'ai si sacrément faim que j'avale une fortune (1 shilling) avant que tu puisses dire ouf ! J'espère que ce nouveau système d'existence ne me délabrera pas la digestion. Je n'ai aucune nouvelle du Speaker *ni de* L'Express. *Si j'avais un peu de sous, je pourrais m'acheter un petit réchaud à pétrole (j'ai une lampe) et me cuire du macaroni...*[1]

et je m'étonne qu'il n'ait pas pris en haine une ville si peu hospitalière, cette ville qu'il définirait un jour : *lampe allumée pour les amants dans la forêt du monde*, et qu'un télégramme, le vendredi saint, allait rendre aux ténèbres : *Mère mourante, reviens. Père.*

---

1. Cité par H. Gorman : *James Joyce, a definitive biography*, New York, Reinhart, 1939.

La maison désolée, *foyers qui s'effritent*, *le mien*, *le sien*, *tous ;* le père promis à la bouteille ; les enfants en pleurs, presque en loques, traînant les rues ; James refusant de prier

« *J'ai payé mon dû* »

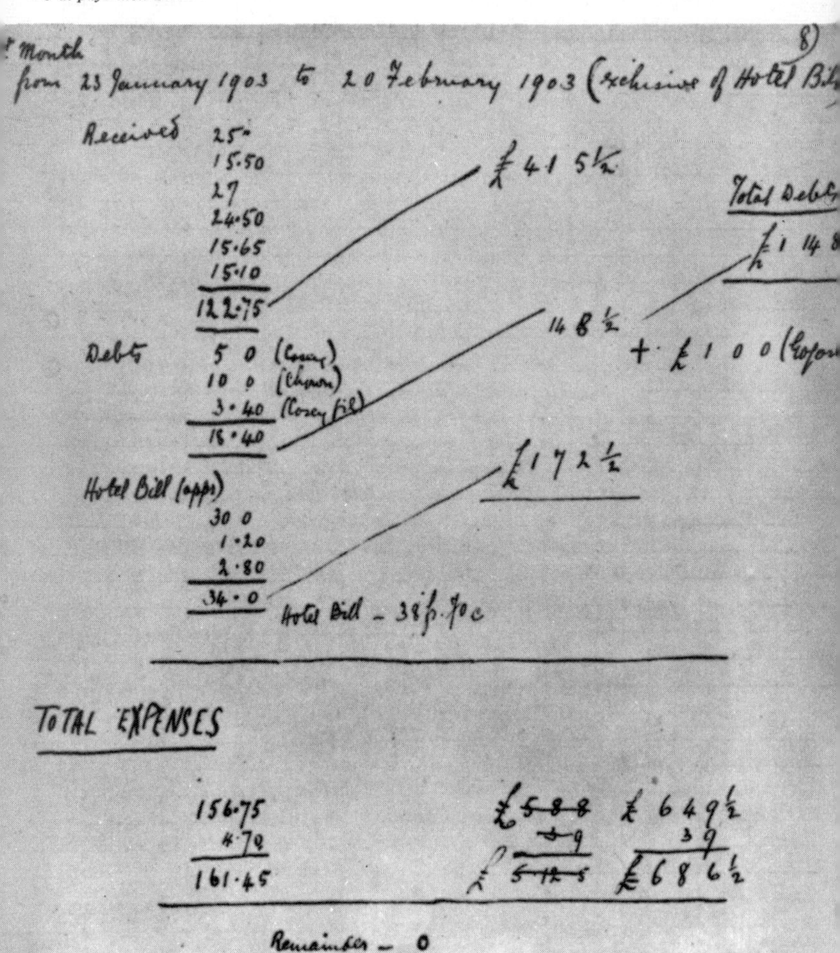

1st Month 8)

from 23 January 1903 to 20 February 1903 (exclusive of Hotel Bill)

Received
25·
15·50
27
24·50
15·65
15·10
122·75 — £4 1 5½

Total Debts £1 14 8

Debts
5 0 ([illegible])
10 0 ([illegible])
3·40 ([illegible])
18·40 — 14 8½ + £1 0 0 ([illegible])

Hotel Bill (appr)
30 0
1·20
2·80
34·0 — £1 7 2½

Hotel Bill — 38f. 70c

TOTAL EXPENSES

156·75
4·70
161·45

£5 8 8
3 9
£5 12 5

£6 4 9½
3 9
£6 8 6½

Remainder — 0

Jas Joyce

au chevet de l'agonisante dont le spectre l'accablera de remords : sombres images du retour, et bien faites pour ranimer l'obsession de la déchéance. *Vous alliez faire des merveilles, hein ? Missionnaire en Europe à la suite de l'enflammé Colomban.* Et qui donc à présent — Icare ? Lucifer ? — *tombe tout étincelant, orgueilleux éclair de l'intellect ?* Cette chute, que préparait la médiocrité dublinoise, la voilà évidente, implacable : elle est toute la vie. *Dans l'obscurité pécheresse d'un ventre je fus moi aussi fait et non engendré. Par eux, l'homme qui a ma voix et mes yeux et la femme fantôme au souffle odeur de cendres.* Et l'enfance, dernier refuge, désormais *trop loin pour que ma main l'atteigne.* Royaume aux charmes de jadis, et *ses secrets : vieux éventails de plumes, carnets de bal à glands, imprégnés de musc, une parure de grains d'ambre dans son tiroir fermé à clef. Une cage d'oiseau qui avait été suspendue à la fenêtre ensoleillée de la maison où elle vécut jeune fille...* Où maintenant ? *Gaieté fantômale, enfuie en fumée.* A travers le deuil et l'angoisse et l'absence, Joyce démasquait enfin cet ennemi qui ne cesserait plus d'alimenter son cauchemar : le Temps.

En rêve, silencieuse, elle était venue à lui : son corps émacié flottant dans sa toilette de morte exhalait une odeur de cire et de bois de rose : son souffle, penché vers lui en muets secrets, fleurait faiblement les cendres mouillées. Ses yeux vitreux, du fond de la mort, fixés sur mon âme pour l'ébranler et la courber. Me fixant seul. La bougie spectrale qui éclairait son agonie. Lumière spectrale sur le visage supplicié. Son souffle retentissant et rauque, râlant l'horreur, pendant que tous priaient à genoux. Ses yeux fixés sur moi, comme pour me jeter bas.

Ainsi advient-il qu'en des heures très rares la présence des morts remonte en nous, ouvre notre existence à leurs mystères. De Poe à Rilke, d'Ibsen à Thomas Mann, ces « revenants » signalent à l'horizon de la conscience un lieu où le passé demeure indestructible et contemporain du présent. Il ne faut point s'étonner de rencontrer aussi, chez Joyce, ces messagers qui surgiront à l'improviste pour nous ravir à notre prison. Par eux, les frontières reculant presque à l'infini, la vie humaine conçoit sa juste dimension : *très court espace de temps à travers de très courts temps d'espace*, mais au sein d'une durée stellaire si fabuleuse qu'elle semble n'avoir ni commencement ni terme. La théorie de Stephen touchant *Hamlet* procédera de cette constatation : que notre temps terrestre n'est qu'une ombre de l'éternel, en sorte que tout événement, public ou personnel, paraît frappé d'une incurable contingence. Or ce monde où les heures se comptent en millénaires, c'est celui dont les morts témoignent, et la réflexion ne s'en détourne que parce qu'elle pressent, comme en vertige, son impuissance. La visitation ne relèvera donc jamais de la raison, limitée par nature, mais de moments privilégiés, d'intuitions comme celle qu'éprouve Gabriel au dénouement des *Morts*, en apprenant que, pour sa femme, un amoureux s'est tué jadis : *Des larmes coulèrent de ses yeux, et dans la pénombre il crut voir la forme d'un jeune homme debout sous un arbre lourd de pluie. D'autres formes l'environnaient. L'âme de Gabriel était proche des régions où séjourne l'immense multitude des morts. Il avait conscience, sans arriver à les comprendre, de leur existence falote, tremblotante. Sa propre identité allait s'effaçant en un monde gris, impalpable : le monde solide que ces morts eux-mêmes avaient jadis érigé, où ils avaient vécu, se dissolvait, se réduisait à néant. Quelques légers coups frappés contre la vitre le firent se tourner vers la fenêtre. Il s'était mis à neiger. Il regarda dans un demi-sommeil les flocons argentés ou sombres tomber obliquement contre les réverbères. L'heure était venue de se mettre en voyage pour l'occident. Oui, les journaux avaient raison, la neige était générale en toute l'Irlande. Elle tombait sur la plaine centrale et sombre, sur les collines sans arbres, tombait mollement sur la tourbière d'Allen et plus loin, à l'occident, mollement tombait sur les vagues rebelles et sombres du Shannon. Elle tombait aussi dans tous les coins du cimetière isolé, sur la colline où Michael Furey gisait enseveli. Elle s'était amassée sur les croix tordues et les pierres tombales, sur les fers de lance de la petite grille, sur les broussailles dépouillées. Son âme s'évanouissait peu à peu comme il entendait la neige s'épandre faiblement sur tout l'univers comme à la venue de la dernière heure sur tous les vivants et les morts.* (Gens de Dublin)

Bien entendu, il s'en faut que Joyce ait toujours pour traiter de la camarde un ton si sépulcral, et comme toute chose chez lui suppose sa parodie, magnifié ici, le trépas est ailleurs ridiculisé. Les fantômes eux-mêmes entrent volontiers dans le personnel de la bouffonnerie, tel Dignam qui, enterré le matin, reparaît le soir dans un bouiboui : *Dans l'obscurité on sentit voltiger une main fluidique et quand la prière selon les tantras eût été dirigée dans le sens voulu la luminosité vague mais croissante d'une lumière rouge devint graduel-*

lement visible, l'apparition du double éthérique rappelant plus particulièrement l'apparence de la vie à cause des rayons jiviques que déchargeaient le sommet de la tête et la face... Quand il lui fut demandé si là l'existence ressemblait à nos expériences corporelles il déclara avoir appris d'êtres actuellement plus favorisés promus au rang d'esprits purs que leur résidence comportait tout le confort moderne, soit talafana, ascensora, chodafrada, wataklasa, et que les adeptes les plus évolués étaient plongés dans des vagues de volupté de la nature la plus sublimée... Avant de disparaître il demanda qu'on dît de sa part à son cher fils Patsy que l'autre bottine qu'il avait tant cherchée était présentement sous la commode de la pièce située à mi-étage et qu'il fallait envoyer la paire chez Cullen mais seulement pour refaire les semelles car les talons étaient encore bons. Il déclara que cette préoccupation avait beaucoup nui à sa paix d'esprit dans l'autre monde et insista vivement pour que son désir fût transmis à l'intéressé. (Ulysse)

Toujours est-il que les emblèmes du néant, grotesques ou non, couronnent toutes les œuvres de Joyce. *Musique de Chambre* s'achevait sur un vers significatif :

Amour, amour, amour, pourquoi m'avez-vous laissé seul ?

et les nouvelles de *Dubliners* connaissent une fin funèbre : soit la mort physique comme dans *Les Sœurs*, où la dernière image est celle du vieux prêtre *assis dans son confessionnal obscur, grand, éveillé, semblant se rire à lui-même ;* dans *Pénible Incident*, où Mr Duffy écoute dans la nuit la voix de la disparue ; dans *Les Morts*, où le monde entier retourne à l'abîme — soit la mort spirituelle, comme dans *Arabie*, où l'enfant lève vers les ténèbres son regard d'*angoisse et de rage ;* dans *Eveline*, où la jeune fille, pétrifiée par la peur, ne reconnaît même plus son amant ; dans *Après la Course*, où *L'aube, messieurs !* semble résonner outre-tombe ; dans *Un Petit Nuage*, où Chandler, vaincu, s'abandonne à son désespoir. Quant aux livres majeurs, la journée d'*Ulysse* se perd aux eaux profondes du sommeil, comme la nuit de *Finnegans Wake* à celles de l'océan, et des deux lavandières d'*Anna Livia*, dont les voix épousent le cours de la rivière, l'une sera changée en roc et l'autre en arbre : *N'entends pas cause les ondes de. Le bébé babil des ondes de. Souris chauve, trottinette cause pause. Hein ! Tu n'es pas rentré ? Quel père André ? N'entends pas cause les fuisouris, les liffeyantes ondes de. Eh ! Bruit nous aide ! Mon pied à pied se lie lierré. Je me sens vieille comme mon orme même. Un conte conté de Shaun ou Shem ? De Livie tous les fillefils. Sombre faucons écoutent l'ombre. Nuit. Nuit. Ma taute tête tombe. Je me sens lourde comme ma pierrestone. Conte moi de John ou Shaun. Qui furent Shem et Shaun en vie les fils ou filles de. Là-dessus nuit. Dis-mor, dis-mor, dis-mor, orme. Nuit, Nuit! Contemoiconte soit tronc ou pierre. Tant riviérantes ondes de, couretcourantes ondes de. Nuit.*

Ainsi la mort a pour premier symbole celui de l'achèvement. Fin naturelle des corps et des pensées, elle opère dans le monde ce que l'artiste opère dans son œuvre : elle marque sur le temps la victoire de l'immuable. Mille indices en répondent : le mot *paralysie*, qui revient dans *Dubliners* avec une fréquence obsédante, et devant lequel le narrateur se sent à la fois craintif et fasciné *(il me remplissait de terreur, ce mot, et je brûlais cependant de m'approcher du mort et de contempler l'œuvre de la paralysie) ;* le décès de la mère qui, pour Richard Rowan comme pour Stephen, signifie le vrai reniement du catholicisme et l'avènement de la liberté ; l'apparition de Rudolf Virag, de Mme Dedalus, de la Fin du Monde et de Rudy Bloom qui, dans *Circé*, met un terme à la ribote... Partout la *dernière heure*, prévue par Gabriel, vient exaucer une quête douloureuse. Si Breton disait écrire « pour abréger le temps », Joyce écrira, lui, pour l'anéantir, pour établir l'œuvre hors de portée de ses injures. Écriture alchimique, par conséquent, dont le dessein sera de transmuer les apparences, de traduire toute histoire dans un langage d'éternité, comme le temps en nous se traduit en savoir : *Es ventre la femme le verbe s'est fait chair, mais en l'esprit du créateur toute chair qui passe devient le mot qui oncques ne passera.* Tel est d'abord l'argument de l'esthétique.

La pitié est le sentiment qui arrête l'esprit devant ce qu'il y a de grave et de constant dans les souffrances humaines et qui l'unit avec le sujet souffrant. La terreur est le sentiment qui arrête l'esprit devant ce qu'il y a de grave et de constant dans les souffrances humaines et qui l'unit avec la cause secrète. Il est curieux qu'une œuvre d'apparence si peu tragique commence par une méditation sur la tragédie. Joyce nous avertit discrètement que son art s'engendre dans la douleur, mais, par une coquetterie bien irlandaise, cette douleur, il s'appliquera, comme Swift, à la masquer. Mieux à la vaincre. *L'émotion tragique, en effet, est un visage au double regard*

Fantômes selon Yeats :
« The Dreaming of the Bones » à L'Abbey Theater

dirigé vers la terreur et la pitié, qui toutes deux en sont les phases. Remarque que j'ai employé le mot arrêter. *J'entends par là que l'émotion tragique, ou plutôt l'émotion dramatique, a un caractère statique. Les sentiments éveillés par un art imparfait sont cinétiques : désir ou répugnance. Le désir nous incite à posséder l'objet, à aller vers lui ; la répugnance nous incite à quitter l'objet, à nous en éloigner. Les arts, pornographiques ou didactiques, qui provoquent ces sentiments, sont par cela même des arts imparfaits. L'émotion esthétique, (j'emploie le terme général), est statique par cela même qu'elle arrête l'esprit, dominant le désir et la répugnance.*

Ainsi, de même que terreur et pitié se résolvent dans le moment tragique, de même, issu d'un long combat, l'art le transcende dans la forme. Nous comprenons alors que Joyce puisse, sans contradiction, mesurer la valeur d'une œuvre à *la profondeur vitale* dont elle jaillit, et ne lui reconnaître pour fin que la révélation *d'idées, d'essences spirituelles.* Entre cette intuition et cet accomplissement, la tâche de l'artiste sera d'assumer et comme d'effacer les intermédiaires, afin que le poème ou le roman dépasse tout conflit et s'impose, achevé, en *une simple et soudaine synthèse.* Il s'agit, en somme, de situer la création dans un royaume aussi retranché de l'existence que le créateur l'est de ses créatures. Telle est, du moins, la démarche du classicisme, définie comme un *syllogisme de l'art, le seul moyen légitime de passer d'un monde à un autre,* entendons : de l'instinct à l'esprit, du chaos à l'harmonie, de la durée à l'éternel. Dans ses essais sur Ibsen, sur Mangan, sur le théâtre, Joyce réclamait une littérature libérée de la morale et de la politique ; ce qu'il réclame à présent confine à l'utopie : une littérature libérée du temps.

Pour illusoire qu'elle soit, cette libération a pourtant trouvé son doctrinaire : saint Thomas. Elle suit même des phases dont l'enchaînement répond à une rigoureuse dialectique. *Établissons ces phases et nous établirons les qualités de la beauté universelle. Saint Thomas d'Aquin dit :* Ad pulchritudinem tria requiruntur, integritas, consonantia, claritas. *Je traduis ainsi : trois choses sont nécessaires à la beauté : intégralité, harmonie et luminosité. Ces choses correspondent-elles aux phases de l'appréhension ?* Ces choses, le Docteur angélique les concevait comme des propriétés concomitantes du beau. L'originalité de Joyce, esprit hegelien, est d'en faire les étapes successives : thèse, antithèse, synthèse, de la contemplation et, tout ensemble, de la création esthétique. *La première phase de l'appréhension est une ligne de démarcation tracée autour de l'objet. Une image esthétique se présente à nous, soit dans l'espace, soit dans le temps... Tu l'appréhendes comme une chose une. Tu la vois comme un seul tout. Tu appréhendes son intégralité — voilà l'*integritas... *Ensuite, dit Stephen, tu passes d'un point à un autre en suivant les lignes qui figurent l'objet. Tu l'appréhendes dans l'équilibre balancé de ses parties entre les limites de l'ensemble ; tu sens le rythme de sa structure. En d'autres termes, la synthèse de la perception immédiate est suivie d'une analyse de l'appréhension. Après avoir senti que cette chose est* une, *tu sens maintenant que c'est une* chose. *Tu l'appréhendes complexe, multiple, divisible, séparable, composée de ses parties, résultat et somme de ces parties, harmonieuse. Voilà la* consonantia.

Rien ici qui déroge à la tradition : toute entreprise de l'esprit comprend, pour premiers stades, ce syncrétisme et cette analyse ; tout observateur doit isoler une chose, une situation, avant d'en discerner les éléments. Ni le chimiste ni le stratège n'opèrent autrement. Mais l'artiste ? Il intervient au troisième temps, quand, ayant considéré l'objet, sa constitution, il l'exprime et lui reconnaît une qualité inaltérable : l'identité. Examinons ce panier, par exemple : *Lorsque tu l'as analysé dans sa forme, lorsque tu l'as appréhendé comme un objet, tu arrives à la seule synthèse logiquement et esthétiquement admissible : tu vois que ce panier est l'objet qu'il est, et pas un autre. La clarté dont il* (saint Thomas) *parle, c'est, en scolastique,* quidditas, *l'identité de l'objet. L'artiste perçoit cette suprême qualité au moment où son imagination conçoit l'image esthétique. L'état de l'esprit en cet instant mystérieux a été admirablement comparé par Shelley au charbon sur le point de s'éteindre. L'instant dans lequel cette qualité suprême du beau, ce clair rayonnement de l'image esthétique se trouve lumineusement appréhendé par l'esprit, tout à l'heure arrêté sur l'intégralité de l'objet et fasciné par son harmonie — c'est le lumineux et silencieux équilibre du plaisir esthétique, un état spirituel fort semblable à ces dispositions du cœur que le physiologiste italien Luigi Galvani définit par une expression presque aussi belle que celle de Shelley : l'enchantement du cœur.* (Dedalus)

De sa confusion première à cette vision béatifique, l'objet suscite donc en nous trois attitudes définissant un progrès de la lucidité. Au terme de ses métamorphoses, il semble soudain s'abstraire, s'idéaliser, comme s'il échappait aux lois du temps, du changement : *son âme, son identité se dégage d'un bond devant nous du revêtement de son apparence. L'âme de l'objet le plus commun dont la structure est ainsi précisée prend un rayonnement à nos yeux*, et voici : *l'objet accomplit son épiphanie.* Qu'est-ce à dire ? Que ce phénomène est aux choses ce qu'est la mort à l'homme : l'instant de la paralysie, la minute de vérité. Sommet de l'art, l'épiphanie, en révélant le monde dans sa réalité secrète, le réduit aussi à une pure essence. C'est dire qu'elle concilie le classicisme de la forme et le romantisme de l'expérience, car si, d'une part, elle immobilise son objet dans une expression immuable, d'autre part, elle est cette *soudaine manifestation spirituelle*, cette visitation fulgurante dont ont rêvé, de Novalis à Rilke, tous les poètes mystiques. *Représente-toi mes regards sur cette horloge comme des essais d'un œil spirituel cherchant à fixer sa vision sur un foyer précis. A l'instant où ce foyer est atteint, l'objet est épiphanisé. Or c'est dans cette épiphanie que réside pour moi la troisième qualité, la qualité suprême du beau.* (Stephen le Héros)

En un sens, pourtant, l'épiphanie passe les frontières de la beauté. S'agissant de la vie courante, elle peut se traduire par certaine *vulgarité de la parole ou du geste ou bien par quelque phrase mémorable* qui livrent les clés d'un caractère ou d'une situation. Elle devient alors un incident symbolique que le romancier se fera un devoir de recueillir. Par elle, nous entrerons dans l'intimité profonde d'une pensée, et le monologue intérieur n'en sera qu'un cas limite : l'observateur coïncidant avec l'observé. En attendant cette rencontre, l'épiphaniste promènera partout une oreille attentive, surprendra dans les conversations les plus triviales, les échanges les plus saugrenus, des ragots, des saynètes qu'il développera dans ses ouvrages. Les *Carnets* de Joyce, ces étranges calepins dans lesquels il prit à Paris l'habitude de noter ses lectures, ses idées, ses dépenses, fourmillent ainsi de phrases décousues, voire inintelligibles :

Ah, Paris ! Qu'est Paris ? Les théâtres, les cafés, les petites femmes des boulevards.

Signes du Zodiaque. La Terre est un être vivant.

Cette chose étrange — le génie.

« La pièce de Synge est grecque », dit Yeats, etc...

L'artillerie des cieux.

L'art a le don des langues.

On y découvre aussi des visions, des rêves, des poèmes qui font songer au *Journal* de Kafka :

Le brouillard tombe lentement en flocons blancs. Le sentier me mène à un étang obscur. Quelque chose se déplace dans l'étang ; c'est une bête arctique, au pelage jaune et rugueux. Je remue l'eau avec mon bâton, la bête sort de l'eau. Je remarque que son dos s'affaisse sur sa croupe et qu'elle est d'humeur paresseuse. Je n'ai pas peur ; je l'aiguillonne avec mon bâton pour la chasser devant moi. Elle remue lourdement ses pattes en murmurant des mots dans un langage que je ne comprends pas.

Elle arrive la nuit quand la ville s'est tue ; invisible, sans faire de bruit, sans qu'on ait à l'appeler. Elle quitte sa demeure ancienne pour rendre visite à ses enfants indignes, mère très vénérable, comme s'ils ne l'avaient jamais traitée en étrangère. Elle connaît les profondeurs du cœur ; c'est pourquoi elle est douce et ne nous tient aucune rigueur. Elle dit, je suis toujours capable de changer, je remplis de rêves le cœur de mes enfants. Qui est-ce qui vous console quand vous êtes tristes en terre étrangère ? Je vous ai chéris, quand d'âge en âge vous dormiez dans mon sein.

Dublin : *Dans la maison de Glengariff Parade. Le soir.*

Mrs Joyce (toute rouge et tremblante, apparaissant à la porte du salon) : *Jim !*

Joyce (au piano) : *Oui ?*

Mrs Joyce : *Est-ce que tu sais comment le corps fonctionne ? Que faut-il faire ? C'est le petit Georges... Il y a quelque chose qui sort du trou de son ventre. As-tu idée de ce que cela peut être ?*

Joyce (surpris) : *Non, je ne vois pas...*

Mrs Joyce : *Tu crois qu'on devrait appeler le médecin ?*

Joyce : *Je ne sais pas... Mais quel trou ?*

Mrs Joyce (avec impatience) : *Mais le trou que nous avons tous... ici...* (montrant quelque chose du doigt).

Joyce (se lève en sursaut) [1].

Cette coutume de thésauriser les moindres faits tourna vite en une manie odieuse pour l'entourage. A tout moment, en toute compagnie, Joyce sortait de ses poches les fameuses tablettes — *là, prenons ça au vol, vite* — pour y inscrire l'incongruité qu'un tel venait de proférer. « Je me fiche qu'on prenne des notes sur moi », s'écriait Gogarty plus connu sous

1. Traduction d'André du Bouchet, in *James Joyce, sa vie, son œuvre, son rayonnement*, Paris, La Hune, 1949.

le nom de Buck Mulligan. « Mais contribuer sans le vouloir à ses épiphanies, c'est agaçant ! » Au vrai, le malin plaisir qu'éprouvait Joyce à ces instantanés, son impertinence, son dédain des discriminations confirment l'importance qu'il attachait à sa doctrine. Toute son œuvre, d'ailleurs, en forme l'application. *Gens de Dublin* présente une suite d'épiphanies, d'épisodes apparemment sans consistance, qui dévoilent pourtant le destin des personnages ; *Dedalus* relève, lui aussi, de ce genre, comme *Ulysse*, qui résume en un jour dix ans de voyages odysséens et *Finnegans Wake* où l'humanité, ses héros, ses légendes se ramèneront aux proportions d'un rêve de cabaretier — *all space in a nutshell.*

Or le système va plus loin. Pour immédiat qu'il semble, l'art de l'épiphanie n'est que l'aboutissement d'une recherche que jalonnent divers styles, divers genres. Aux trois états qui mènent vers l'absolue beauté : *integritas*, *consonantia*, *claritas*, correspondent, en effet, trois conceptions littéraires, trois rapports du créateur et de son œuvre : la forme lyrique, *vêtement verbal d'un instant d'émotion*, caractérisée par le cri, ne sort point du subjectivisme : l'artiste conçoit l'image en relation directe avec lui-même — la forme épique, qui apparaît quand le poète, cessant de s'intéresser à son être propre, établit l'œuvre en relation médiate avec autrui, marque le temps de l'analyse et, sans doute, de la vraie communication — la forme dramatique, enfin, qui naît en liaison exclusive avec les autres, élimine tout élément personnel et atteint seule l'universalité. De l'une à l'autre, du cri à la connaissance, l'artiste subit la même assomption que l'objet : il progresse vers son invisible souveraineté, comme dans la vieille ballade anglaise, *Turpin Hero*, qui commence à la première personne pour s'achever à la troisième. Sa personnalité, traduite d'abord par une cadence, une impression, un état d'âme, puis par un récit fluide et superficiel, *se subtilise enfin jusqu'à perdre son existence et, pour ainsi dire, s'impersonnalise.* C'est exactement cette évolution qui gouvernera l'univers de Joyce, depuis le lyrisme de *Musique de Chambre* jusqu'à l'épopée d'*Ulysse* et au drame cosmique de *Finnegans Wake*, cet univers qui, né de la réalité la plus quotidienne, atteindra peu à peu les dimensions de l'intemporel.

Joyce à Zurich

PARIS
GENERAL
James Joyce

L'Histoire, dit Stephen, est un cauchemar dont j'essaie de m'éveiller.

Ulysse

TÉLÉMACHIE

Il fut un âge où l'on mourait de la grippe espagnole, de la peste, du croup, du charbon, de la suette, de l'emphysème, de la vérole, du vomito negro ; aujourd'hui, on meurt de l'histoire. Apprenti médecin, Joyce n'était pas sans le savoir : son esthétique en propose même le diagnostic et le remède. On voit bien, en effet, qu'en révolte contre le temps cette esthétique est surtout un dépassement du temps, un moyen de guérir l'obsession du siècle. Par nature, sinon par vocation, l'homme joycien se défiera donc fortement de l'histoire. Non que l'exil le dispense de l'événement. L'événement, il y trempe au contraire, y patouille, s'y noie comme en son sang. Non que l'auteur, de son côté, s'avère inapte à la réflexion politique — il est même frappant que les seules prédictions qu'*Ulysse* se permette, savoir : l'indépendance totale de l'Eire et la restauration de l'État d'Israël, aient reçu nette confirmation. Simplement pour Joyce comme pour tout Irlandais, l'histoire n'est guère que la chronique de l'enfer — d'un enfer contre lequel la meilleure défense est encore le scepticisme, la prudence et l'humour.

On rira donc énormément en ces ouvrages. Et de tout le monde, à commencer par les politiciens. Pas une cause ici, comme chez Swift ou Sterne, qui ne reçoive sa volée de bois vert. Les conservateurs ? Voilà bien leur représentant : *vous n'économisez pas, dit Mr Deasy, le doigt levé. Vous ne savez pas encore ce que c'est que l'argent. L'argent, c'est le pouvoir,*

« Peut-être celui-là avait-il tenté de découvrir le mot du secret ballotté d'un antipode à l'autre sans compter le reste... »
(Passeport de James Joyce)

quand vous aurez vécu autant que moi. Je sais, je sais. Si jeunesse savait. Mais que dit Shakespeare ? Aie seulement la bourse bien garnie... *Il en a gagné. Un poète, mais aussi un Anglais.*

Les patriotes ? Écoutons leur flambard : *Les étrangers, disait le citoyen. C'est de notre faute. Nous les avons laissés entrer. Nous les avons amenés. La femme adultère et son amant ont amené ici les Saxons pour nous piller... Une épouse déshonorée, que dit le citoyen, voilà la cause de nos malheurs... Merde pour ces sacrées brutes de Saxons et leur patois !* — Et pour leur civilisation ? — *Leur syphilisation, vous voulez dire, que dit le citoyen. Merde pour eux ! Qu'un sacré nom de dieu de bondieu de bois les empapaoute ces bougres d'idiots de fils de putains ! Pas de musique et pas d'art et pas seulement ce qu'on peut appeler une littérature. Tout ce qu'ils ont de civilisation ils nous l'ont volé. Tas de cons et tas de trous-du-cul !*

Les révolutionnaires ? Les voilà sur l'estrade : *Les machines, voilà leur marotte, leur chimère, leur panacée. Machines-outils, usurpatrices, loups-garous, monstres manufacturés en vue de l'égorgement mutuel, gnomes malfaisants et hideux produits de la voracité d'une horde de capitalistes qui s'abat sur notre travail prostitué à leur appétit. Le pauvre meurt de faim pendant qu'ils engraissent leurs cerfs dix cors ou qu'ils tirent les paisants et les ferdrix, pompeux et puissants ploutocrates, pauvres aveugles. Mais leur règne est volu et leur heure est rivée rajamais.* D'où le programme : *Je préconise la réforme de la moralité civique et les dix commandements purs et simples. A chacun sa lampe d'Aladin. Tous unis, juifs, musulmans et gentils. Un hectare et une vache pour les enfants de la nature. Corbillards torpédos grand luxe. Travail manuel obligatoire. Les Parcs ouverts au public jour et nuit. Lave-vaisselle électriques. Tuberculose, aliénation mentale, guerre et mendicité interdites. Amnistie générale, carnaval hebdomadaire avec les libertés du masque, gratifications à tous, la fraternité universelle assurée par l'esperanto. Plus de patriotisme de cafés, tapeurs et monteurs de coup hydropiques. L'argent à tous, l'amour libre, l'église laïque libre dans l'état libre et laïque... le mélange des races et les mariages mixtes.*

Les parlementaires enfin ? Entrons aux Communes :

M. Orelli (Montenotte. Nat.) : *Des ordres semblables ont-ils été donnés pour l'abattage des animaux humains qui osent se livrer à des jeux irlandais dans Phœnix Park ?*

M. Quatrepattes : *Ma réponse sera négative.*

M. Vachier Conare : *Le fameux télégramme de Michelstown du très honorable M. Quatrepattes n'aurait-il pas inspiré la décision des membres du Gouvernement ?* (Murmures)

M. Quatrepattes : *Cette interpellation n'a pas été déposée.*

M. Cocalane (Buncombe. Indépendant.) : *N'hésitez pas à faire feu !* (Applaudissements ironiques de l'opposition)

Le Président : *Silence ! Silence !* (La séance est levée. Applaudissements.) (Ulysse)

Il est donc difficile de prêter à Joyce quelque message politique, et les spécialistes se sont un peu hâtés, qui l'ont catalogué, à droite, comme anarchiste ou, à gauche, comme indifférent à la classe ouvrière. En réalité, son humour n'épargne ni le croyant ni l'athée, ni le bourgeois ni le prolétaire, et sa franchise ne compose pas. Or rien de plus insupportable aux sectaires que le rieur : *Ulysse* s'honore d'avoir été, dans le même temps, poursuivi par les ligues américaines, mis à l'index par les soviets et brûlé par les hitlériens. Quant à Joyce lui-même, il pensait mieux servir les hommes en écrivant ses livres qu'en se produisant à la tribune, et la seule déclaration publique qu'il ait risquée réclame pour l'artiste une latitude totale. Il fut donc, au plein sens du mot, un esprit libre et fort jaloux de son indépendance : *la vie d'un déraciné lui paraissait beaucoup moins ignoble que la vie de celui qui accepte la tyrannie du médiocre sous prétexte que le fait d'être une exception se paie trop cher.*

« Trente-cinq ans d'exil volontaire, écrit Louis Gillet, de séjours nomades à Venise, à Rome, à Trieste, à Zurich, et enfin à Paris où il s'était fixé depuis une vingtaine d'années : fixé n'est pas le mot, car il continuait d'y errer entre Passy et le Gros-Caillou et de Montparnasse à Grenelle, sans compter les fugues, les éclipses, les lettres qui le signalaient soudain, sans crier gare, à Londres, à Folkestone, à Bâle, à Copenhague » : le voyage résume toute l'existence de l'écrivain. Se bat-on en Irlande ? Il est en Italie. La guerre vient-elle en Italie ? Il est en Suisse. Et la Suisse, pays apolitique par excellence, l'attire au point qu'il y retournera pour mourir. Si jamais un nom lui convient, c'est bien celui de Télémaque : loin du combat. Et des admirateurs qui composent sa cour, pas un qui ne partage ce déracinement : des émigrés, des apatrides comme ce Daübler qui célébrait en vers ésotériques la race aryenne fille du soleil, ou ces Villona et Canudo,

Trieste

Zurich

Paris

rencontrés à Paris, avec lesquels, faute d'une langue commune, il discutait en latin de cuisine. Des Irlandais expatriés : James Stephen, Padraic et Mary Colum, Samuel Beckett, le ténor John Sullivan. Des Juifs établis par hasard à Trieste : Italo Svevo, Simeone Levi, ou le trio bulgaro-tchèque Machnich-Rebeck-Novak avec qui il fondait à Dublin le premier cinéma. Des réfugiés de Zurich, britanniques : le peintre Frank Budgen, l'acteur Claud Sykes, ou grecs comme ces Nicholas Santos, Antonio Chalas et Paulos Phocas qui lui lisaient Homère, ou autrichien : Felix Beran, traducteur de *Pomes Penyeach*, ou allemand comme ce Karl Bleibtreu qui démontrait que Shakespeare et lord Rutland ne faisaient qu'un, et qui devait, dans *Ulysse*, avoir sa rue : *Bleibtreustrasse*. Des Anglais, des Américains transplantés à Paris : Herbert Gorman, son biographe, Stuart Gilbert, son traducteur, Sylvia Beach, son éditeur, Ezra Pound, Eugène et Maria Jolas, tous amis faits pour séduire un homme qui possédait une douzaine de langues : le latin, l'anglais, le gaélique, le français, l'italien, l'espagnol, le portugais, l'allemand, le norvégien, le suédois, le danois, le yiddish, le grec moderne, un peu de russe, et dont les livres allaient être traduits dans les idiomes les plus divers, y compris le finnois, le japonais et l'ourdou.

Les professeurs de morale civique ne manqueront pas non plus de retenir à sa charge une vie familiale assez banale, toute confite en anniversaires, bouteilles de vin blanc, gâteaux avec bougies, récitals de chansons, entrechats, baisemains, ou ces dîners au Fouquet's dont il régalait de temps en temps les messieurs du Pen Club. Parties fines, fréquentation de millionnaires auxquels il s'entendait, d'ailleurs, à soutirer de l'argent, chœurs à louanges, déménagements, voyages, pas une once d'histoire dans tout cela ! « Je ne me souviens pas, ajoute Louis Gillet, qu'une seule fois en toutes ces années Joyce ait dit un mot des événements publics, proféré le nom de Poincaré, de Roosevelt, de Franco, de Baldwin, de Valera, de Staline, émis une allusion à Genève ou à Locarno, à l'Abyssinie, à l'Espagne, à la Chine, au Japon, au Négus ou au Mikado, à l'affaire Staviski, à l'affaire Prince, à Violette Nozières, aux armements ou au désarmement, aux pétroles, à la Bourse, aux courses d'Auteuil, à Gorgoulov, à l'assassinat de Doumer, de Dollfuss, du roi Alexandre, à la Rhénanie, à l'Autriche, au Maroc, au Congo ou au Gerolstein, non plus qu'à rien de ce qui encombre les man-

Le cauchemar de l'Histoire ►

chettes des journaux... Toutes ces réalités n'égalaient pas la puissance de son rêve. »

Et de quoi rêvait-il ? D'amour, non. On ne lui connaît aucune maîtresse (bien qu'aux dernières nouvelles...) et force est de le croire fidèle à son foyer, ses enfants et sa femme. Car, certain 10 juin, il avait rencontré sa plus belle épiphanie : Nora Barnacle. Ce prénom ibsénien joint à un nom de coquillage ou d'oie sauvage donne à songer. Il est possible que le souvenir s'en mêle à l'apparition qui, vers la fin de *Dedalus*, ravit Stephen à sa délectation morose : *Une jeune fille se tenait devant lui, debout dans le ruisseau — seule et tranquille, regardant vers le large. On eût dit un être transformé par magie en un oiseau de mer, étrange et beau. Ses jambes nues, longues et fines, étaient délicates comme celles d'un ibis, et immaculées, sauf à l'endroit où un ruban d'algue, couleur d'émeraude, s'était incrusté à la manière d'un signe sur la chair. Ses cuisses plus pleines, nuancées comme l'ivoire, étaient découvertes presque jusqu'aux hanches, où les volants blancs du pantalon figuraient le duvet d'un plumage flou et blanc. Ses jupes bleu-ardoise, crânement retroussées jusqu'à la taille, retombaient derrière en queue de pigeon ; sa poitrine était pareille à celle d'un oiseau, tendre et lisse, lisse et tendre comme la poitrine de quelque tourterelle aux sombres plumes ; mais ces longs cheveux blonds étaient ceux d'une enfant, et virginal, et touché par le miracle de la beauté mortelle était son visage.*

Oiselle ou non, Nora compensait par sa beauté, son charme, son enjouement, une inculture dont l'histoire offre des précédents en Christiane Vulpius et Thérèse Levasseur. Que se passa-t-il, une semaine plus tard, le 16 juin, ce fameux 16 juin 1904 dont *Ulysse* perpétuerait la mémoire ? Le *Oui* qui conclut l'œuvre conclut-il certaine escapade à Howth dans les rhododendrons ? Verrons-nous en ce gros livre une manière d'épithalame ? Quelques jours encore, et l'amoureux allait affronter une tentation supplémentaire. Le chant l'avait toujours séduit et l'opéra, comme il appert au chapitre des Sirènes, l'emportait presque en ses faveurs sur la littérature. Être ténor ! Il en rêvait. Ténor ou romancier ? Il balançait, lorsque s'ouvrit le Feis Ceoil, ce festival irlandais de musique où les impresarios recrutaient leurs futures vedettes. Joyce s'y produisit, fit impression dans un morceau de circonstance, *Le Fils prodigue*, et manqua

Nora

de si peu la médaille d'or qu'il passa les jours suivants en invectives contre le jury et son président, célèbre auteur de *Funiculi-Funicula*. La déception fit-elle déborder la coupe ? Ni la publication de ses nouvelles : *Les Sœurs*, *Eveline*, *Après la Course*, ni l'acceptation par quelques périodiques des premiers poèmes de *Chamber Music* ne le retinrent. Le 8 octobre, il laissa l'Irlande à ses vocalises et, suivi cette fois de Mlle Barnacle, qu'il épouserait plus tard, s'en fut en Istrie où l'attendait un poste de professeur à l'École Berlitz.

Et ce fut à nouveau l'exil. Années obscures, silencieuses, traversées de misère, de maladies. En 1905, après un bref séjour à Pola, le couple s'installa en cette belle ville de Trieste, alors autrichienne, où Freud avait séjourné, où vivait Italo Svevo, où Rilke allait écrire ses *Élégies*. Le 27 juillet, naissait un garçon, Giorgio, et l'heureux père pouvait écrire à Stanislaus : *En ces neuf mois, j'ai engendré un fils, écrit 500 pages de mon roman et trois nouvelles, appris passablement l'allemand et le danois, assumé les charges intolérables de mon métier et roulé deux tailleurs.* Mais les angoisses financières, celles-là d'une fidélité à toute épreuve, mais l'horreur quotidienne d'un enseignement aggravé de leçons en des domiciles distants de kilomètres, mais ces tractations avec les éditeurs qui refusaient de publier ses livres, mais ces attaques d'iritis qui devaient le conduire au seuil de la cécité, mais ce désespoir qui lui fit, un jour, jeter au feu le manuscrit de *Stephen Hero* dont Nora ne sauva, au prix de brûlures, qu'un maigre cinquième... rarement le mauvais sort se sera plus acharné sur un homme. Le remède ? L'errance. A l'époque où les Gides posaient au génie traqué pour une malheureuse excursion en Afrique du Nord, Joyce renouait avec la lignée des Büchner, des Rimbaud, de ceux qui ne voyagent ni par plaisir, ni par curiosité, ni pour faire comme tout le monde, ni pour s'instruire, ni pour s'oublier, mais comme pérégrinaient Ulysse, le Juif errant, *ce qui est allé jusqu'aux bouts du monde pour éviter de se traverser, Dieu, le soleil, Shakespeare, un commis-voyageur.* A Rome où la banque Nast, Kolb et Schumacher l'employait à des écritures et où il consacrait fiévreusement ses loisirs au roman qui, sous le titre de *Stephen Hero*, avait atteint 2 000 pages et, sous celui du *Portrait*, allait se réduire à 300 ; à Venise, à Bologne, à Padoue où il tentait ingénument d'entrer dans l'administration ; à Trieste derechef où il envisageait d'ouvrir un commerce de tweed et de finir ses jours dans l'importation du textile, mais où la guerre le surprenait en territoire ennemi, cependant que son frère Stanislaus allait tâter du camp d'internement ; à Zurich où il se réfugiait en 1915 pour y poursuivre, loin des canons, son odyssée ; à Paris où, avec la gloire enfin, l'attendaient d'autres épreuves : le décès de son père, la folie de sa fille, dix ou douze opérations de la cornée, et où, malade, aveugle, il s'imposerait durant dix-sept ans le martyre de *Finnegans Wake* ; en Autriche, en Danemark, en Allemagne, en

Le mariage : « Oui j'ai dit oui je veux bien Oui »

Angleterre où il traînait chez les ophtalmologistes, collectionnait les noms de rivières, étudiait les parlers locaux, fréquentait les concerts, intentait des procès, que cherchait-il donc, et de quoi rêvait-il ?

Il recréait le monde. Contre le plus perfide, le plus insaisissable, le plus invincible des ennemis : contre le Temps. Son rêve ? Affranchir l'homme de l'histoire en la dominant, en retrouvant derrière elle une ordonnance universelle. C'est T. S. Eliot qui, le premier, devait remarquer dans *Ulysse* cette intention démiurgique. De là la parenté que maints critiques allaient souligner entre la pensée joycienne et la *Divine Comédie*, la théologie médiévale, les sciences occultes ou le théâtre élizabéthain, toutes formes de culture mettant le microcosme en équation avec le macrocosme, « ce qui est en bas » avec « ce qui est en haut ». Jusqu'à la Renaissance, en effet, l'humanité se situait essentiellement dans l'univers. Son histoire, si particulière fût-elle, s'inscrivait dans une histoire mythique engendrée par la chute et bornée par la rédemption. En mourant sur la croix, Jésus avait fondé le temps dans l'éternité et résumé par sa passion le cours des âges. Ainsi comprise entre la faute d'Adam et la promesse finale d'une résurrection, l'aventure humaine participait d'une tragédie sacrée dont le déroulement se confondait avec l'ordre du monde : *emportée vers un grand but, la manifestation de Dieu*. Brisant cet ordre, la Renaissance ne pouvait qu'empirer les suites du péché, introduire ici-bas la tyrannie de la durée et de la mort. Désormais, l'homme se voyait banni de la création comme il l'avait été du paradis, engagé dans des événements de moins en moins intelligibles, que les révolutions mèneraient bientôt à l'anarchie. Nécessairement tous les systèmes devaient représenter autant d'efforts pour recouvrer l'universel, soit en cherchant vainement à régresser vers l'âge d'or, soit en projetant cet âge d'or dans le futur, soit en découvrant sous le chaos un principe d'organisation : la raison de Descartes, la dialectique de Hegel ; et le marxisme enfin se proposait comme une méthode visant à libérer les vivants de l'histoire, en les libérant de sa cause constante : la lutte des classes. C'est dans cette perspective qu'il faut comprendre Joyce, dans ce courant eschatologique qui se donne pour objet dernier l'abolition du temps, et dont la devise pourrait être : *l'Histoire est un cauchemar dont j'essaie de m'éveiller*.

La fin des temps, nous la rencontrons sous mille figures. Dans *Musique de Chambre* elle coïncide avec des moments d'immobilité, des visions dégagées de tout contexte : le poète, comme Rimbaud, « fixe des vertiges ». Dans *Dubliners*, elle est cette mort qui peu à peu envahit la cité, la paralyse, cette neige qui confond la terre et l'infini. Dans *Finnegans Wake*, elle est l'océan sans mémoire où les vies, comme le fleuve, iront se dissiper. Mais son apparition la plus pittoresque, c'est dans *Ulysse* qu'elle se produit, et symboliquement dans un bordel, et plus symboliquement encore par le retour d'Élie sous la redingote d'un prédicateur américain : *Les fistons, c'est le moment. L'heure du Bon Dieu, c'est 12, 25. Dites à maman que vous y serez au rendez-vous. Passez votre commande de suite et vous êtes sûrs de tourner l'as. Entrez dans nos rangs illico ! Prenez vos billets pour Éternité-Triage, train-bloc. Un mot seulement. Êtes-vous un dieu ou un odieux croûton ? Si le second avènement visitait Coney Island, sommes-nous prêts ? Flora-Christ, Stephen-Christ, Zoé-Christ, Bloom-Christ, Kitty-Christ, Lynch-Christ, c'est à vous de réaliser cette forme cosmique. Est-ce que le cosmos nous fiche la trouille ? Non. Mettez-vous du côté des anges. Soyez des prismes. Vous avez en vous ce quelque chose, le moi supérieur. Vous pouvez traiter de pair à compagnon un Jésus, un Gautama, un Ingersoll. Vous sentez-vous tous en cette vibration? Moi je dis que oui. Une fois que vous avez entervé ça, mes frères la gaillarde excursion au paradouze n'est plus qu'un jeu de petit enfant.* A vrai dire, ce n'est sans doute pas de cette façon que les Pères de l'Église imaginaient la parousie, ni Hegel l'avènement de l'absolu, mais si les temps ont changé, l'espoir est identique : *Mes bien-aimés sujets, une ère nouvelle va luire. Moi, Bloom, je vous le dis en vérité, l'heure est maintenant proche. Voire, parole de Bloom, nous entrerons avant qu'il soit longtemps dans la cité dorée qui doit voir le jour, dans la nouvelle Bloomusalem, dans la Nova Hibernia de l'avenir.*

Le paradoxe, pourtant, c'est qu'on ne triomphe du temps qu'en se soumettant à son cours, comme la science ne triomphe de la nature qu'en obéissant à ses lois. Telle est la dure constatation que Joyce ferait avec *Anna Livia* : il faut suivre la rivière pour accéder à l'océan. *Anna est, Livie fut, Plurabelle sera.* Mais, bien avant, ce fil inexorable ordonnait déjà ses pensées. Il y a des génies brouillons : Hugo, Balzac, d'autres contradictoires : Nietzsche, Dostoïevsky, d'autres qui s'épanouissent en tous sens : Gœthe, Thomas Mann, en sorte qu'il importe peu d'observer l'ordre de leurs écrits. Joyce relève, lui, d'une chronologie absolue. Qui n'a pas encore pénétré dans ses murs gagnera à ne point se tromper de porte. Car en cette ville immense qui s'oriente de *Gens de Dublin* à *Dedalus* et d'*Ulysse* à *Finnegans Wake*, on ne saurait passer d'un quartier à un autre qu'en empruntant un parcours fixe : celui des heures, des années. Par sa clarté, sa continuité, pareille évolution est sans égale en littérature : elle tient toute dans la conquête d'un univers de plus en plus étendu, elle manifeste comme un impérialisme de l'art, l'ambition d'exprimer un nombre sans cesse accru de phénomènes. C'est pourquoi nulle image n'en rend mieux compte que celle de cercles sur les eaux, chaque œuvre, née de la précédente, se résolvant en une autre plus vaste, engageant un cycle de mots, de thèmes, de symboles en expansion continuelle, comme s'il tendait, à la limite, à se fondre dans le cosmos. On peut dire de cette œuvre ce que Shakespeare dit de la gloire : qu'elle est « un rond dans l'eau qui va toujours s'élargissant jusqu'à se perdre enfin dans le néant » ou ce que Joyce lui-même dit de Léopold Bloom : *Il errerait à jamais, sous sa propre impulsion, jusqu'aux extrêmes limites de son orbite cométaire, au-delà des étoiles fixes et des soleils variables et des planètes télescopiques, chemineaux du ciel, jusqu'aux frontières de l'espace, allant de monde en monde, parmi les peuples et parmi les événements.*

Qui dit cercle dit centre. Quelle vérité ou quelle chimère règne donc au milieu de ce tourbillon ? C'est justement cette *cité dorée*, digne réplique des « villes splendides » rimbaldiennes, cette *Nova Hibernia* de la promesse : *dear dirty Dublin.* Tout au centre du mythe, comme l'épiphanie s'accomplit au centre de l'horloge, Dublin figure le lieu philosophal où l'histoire se transforme en éternité. Ville double, par conséquent, qui apparente cette structure circulaire à l'univers dantesque : il y aura un Dublin réel, historique, mais infernal — et un Dublin céleste, éternel, mais imaginaire, qui occuperont symétriquement les pôles dévolus, dans la *Divine Comédie*, en bas à Lucifer, en haut à Dieu. Et que le premier soit une cible à toutes les insultes, le second à toutes les parodies, voilà bien la preuve que le mythe se fonde toujours sur une ambiguïté. Ces deux fonctions, nous les verrons coexister tout au long de l'œuvre joycienne. L'enfer ? En voilà quelques instantanés : *L'entrée par Mabbot Street du quartier des bordels, devant laquelle s'étend à même la terre un squelette de voies de garage — Un idiot sourd-muet, les yeux en boules de loto, une bouche informe qui bave, sautelle, secoué par la danse de Saint-Guy — Une naine se balance sur une corde tendue dans une embrasure et compte tout haut. Une forme affalée contre une poubelle et masquée par son bras et son chapeau bouge, gémit, grogne en grinçant des dents, et recommence à ronfler. Sur une marche, un gnome qui farfouille dans un tas d'ordures s'accroupit pour épauler un sac de vieux chiffons — Des serpents de brouillard montent de la rivière et rampent lentement. Des égouts, des fissures, des fosses d'aisance et des tas d'immondices, de tous côtés, des exhalaisons lourdes — Sous un porche, une femme debout, penchée en avant, les jambes écartées, pisse comme une vache,* etc.

Mais le paradis ? *Là dorment les Puissants tels qu'en leur vie ils dormirent, guerriers et princes de haut renom. En vérité c'est une douce terre aux eaux murmurantes, aux cours d'eau poissonneux où s'ébattent le grondin, la plie, le gardon, le hellebut, l'aiglefin bossu, le saumon remontant, le carrelet, la barbue, la limande... D'aimables vierges assises tout contre les racines des arbres aimables chantent les plus aimables romances tout en jouant avec toutes sortes d'aimables objets comme par exemple des lingots d'or, des poissons d'argent, des barils de harengs, des havenaux d'anguilles, des moruettes, des paniers de merises, de pourpres gemmes de mer et de folâtres insectes. Et les héros viennent des confins du monde solliciter leurs faveurs, d'Eblana à Slievermargy, les princes sans égaux... Et là se dresse un splendide palais dont le toit de cristal qui jette mille feux est vu des mariniers qui sillonnent l'océan sans limites en des esquifs spécialement construits pour cet usage.* (Ulysse)

Une vision si contrastée se fonde, bien entendu, dans la vie même de l'auteur. A mesure que Dublin reculait dans le temps, la nostalgie lui prêtait tous les prestiges et tous les vices. Comme on fait d'une maîtresse, Joyce s'était pris à maudire et, tout ensemble, à idolâtrer l'infidèle. Ni les soleils adriatiques, ni les monts d'Helvétie, ni les cafés de Montparnasse ne pouvaient le distraire d'une obsession si vorace. Là-dessus les témoignages concordent : Dublin devenait, dit Louis Gillet, « son paradis terrestre, perdu et détesté, chéri et retrouvé, son Atlantide, son Ithaque, son île de Gulliver et celle de Saint Brendan ». Il pouvait bien la railler, étaler publiquement sa crasse, sa sottise, c'est pourtant avec elle qu'il connaîtrait le plus long, le plus déchirant roman d'amour. Absente, la ville régnait au cœur de ses pensées, et les lettres dont il bombardait tante Joséphine n'étaient emplies, comme celles d'un jaloux, que d'interrogations soupçonneuses : qui habite telle rue ? qu'est devenue Mme Chose ? où se trouve telle boutique ? comme s'il avait besoin de confronter sans cesse la mémoire et l'imaginaire.

Imaginaire ? Il est peut-être sans exemple qu'un écrivain ait pris une ville pour thème et cadre unique, et l'ait décrite au point de se flatter que, si quelque séisme venait à l'engloutir, on la pourrait reconstruire d'après ses livres. Mais cette ville n'avait guère plus de rapport avec son double que la Jérusalem céleste avec la temporelle. Joyce aimait moins Dublin qu'une idée de Dublin, et sa rage à ne pas la reconnaître dans le miroir est bien d'un amant berné

Dublin la nuit

et déconfit. D'où sans doute le traitement sardonique de ces quidams qui, tandis que lui, l'auteur, cuvait sa bile, lampaient allégrement leur bière à l'Ormond Bar ou chevauchaient les demoiselles de Mabbot Street. Comprend-on ? Ses rivaux ! Et les brocards dont il les larde : ses vengeances ! Au fond, les relations de Joyce avec ses Dublinois sont exactement celles qu'il entretient avec l'histoire. Et la preuve ? Son silence, lorsqu'aux Pâques 1916 la colère et l'humiliation jetèrent enfin les partisans de Pearse aux barricades où, toute une semaine, parmi des incendies qui préfaçaient ceux de Madrid et de Budapest, ils tinrent tête aux canonnières anglaises de la Liffey. Et la preuve ? Cette distance qui, de *Gens de Dublin* à *Finnegans Wake*, ne cessera de se creuser, comme entre Joyce et son époque, entre la cité réelle et son mirage, entre son existence et son mythe.

Mr James Duffy habitait Chapelizod, parce qu'il désirait demeurer le plus loin possible de la ville dont il était citoyen.

Gens de Dublin

CLEFS POUR LA VILLE

Quand il fut arrivé au sommet du Magazine Hill, il fit une halte et du regard suivit la rivière jusqu'à Dublin dont les lumières brillaient rouges et hospitalières dans la nuit froide. Rouge comme la géhenne, hospitalière comme le salut, voilà Dublin : une ville à *dublintente*, que le regard, comme celui de Mr Duffy, embrassera de toutes les sommités possibles, des collines environnantes à la Tour Martello où guettent Stephen et Mulligan, à la Colonne Nelson du haut de laquelle deux vieilles filles bombardent les passants de noyaux de prunes, ou aux altitudes aériennes d'où les pigeons laissent choir leur fiente sur ceux dont l'allure ne leur revient pas. Mais un mot : s'agit-il toujours de la même ville ? Oui, sa présence est têtue, son cadastre immuable : rivière, ponts, quais, bassins, carrefours, canaux, cimetières : *Regarde maintenant. Tout est demeuré à sa place, hors de toi ; maintenant et à jamais dans tous les siècles des siècles.* C'est l'*omphalos*, le foyer d'où les forces rayonnent comme les tramways d'O'Connel Street vers les banlieues. Mais cette ville des villes est aussi le siège d'une comédie humaine aux cent actes divers : de cycle en cycle, elle ne laisse pas d'évoluer, de conquérir tous les aspects, toutes les dimensions, de sorte que, métropole de *Dubliners*, elle deviendra labyrinthe dans *Dedalus*, Méditerranée dans *Ulysse*, pour, éclatant enfin, former l'immense nébuleuse de *Finnegans Wake*.

Nous marchâmes sur la route de la rive nord jusqu'aux usines de vitriol — Deux jeunes gens descendaient la pente de

Rutland Square — Il s'engagea dans Capel Street et se dirigea vers le City Hall. Puis il tourna dans Dame Street — Arrivé au City Market, il longea Grafton Street — Comme il traversait Grattan Bridge, il jeta un coup d'œil en aval des quais — De Ballsbridge à la Colonne, vingt minutes ; de la Colonne à Drumcondra, vingt minutes... Le Dublin première manière ressemble au *Guide bleu :* monuments, itinéraires, distances, tout est noté avec une précision d'arpenteur ou d'archéologue. Nous voilà conviés à un tourisme permanent dans une sorte de Pompéi moderne dont les habitants et leurs trajets multiples sont autant d'occasions d'inspecter le décor. Des noms se croisent, derrière lesquels il est plausible d'imaginer des boulevards enneigés, des façades industrielles, des passages à niveau, mais il est rare que ces évocations mènent loin : l'exactitude du détail a tôt fait d'y mettre bon ordre. *Avec les jours courts de l'hiver, le crépuscule tombait avant que nous ayons fini de dîner, et quand nous nous retrouvions dans la rue les maisons étaient déjà toutes sombres. Le coin de ciel au-dessus de nous était d'un violet toujours changeant, et vers lui les réverbères de la rue tendaient leurs faibles lanternes. L'air froid nous piquait et nous jouions jusqu'à ce que nos corps fussent tout échauffés. Nos cris se répondaient dans la rue silencieuse. Le cours de nos jeux nous entraînait, par les ruelles boueuses et sombres, jusque derrière les maisons, où nous portions des défis aux tribus qui peuplaient les masures ; jusqu'aux portes des jardins obscurs et mouillés, d'où montaient les odeurs des trous d'ordures ; jusqu'aux écuries noires et odorantes, où le cocher étrillait et lustrait le cheval, ou faisait sonner les harnais aux boucles métalliques ; et quand nous revenions vers la rue, la lumière, à travers les fenêtres des cuisines, débordait sur les petites cours.* (Arabie)

Cette topographie commence, dans *Dedalus*, à prendre un caractère ésotérique. Que la première partie conduise *extra muros*, à vingt bons milles, au collège de Clongowes Wood, ou que la seconde ramène en ville au gré des circonstances, à mesure que le symbole l'emporte sur l'événement, les lieux perdent leur précision, toute la cité s'intériorise. A peine ébauchée, la description verse aussitôt dans la rêverie : *Du pont tremblant il passa sur la terre ferme. Au même instant il lui sembla que l'air se glaçait...* Visiblement Joyce a délaissé tout naturalisme, et c'est pourquoi, sans doute, aux peintures urbaines il préfère maintenant le vague des environs : berges brumeuses des canaux, solitude des longues plages, broussailles des banlieues... *Le soleil voilé éclairait faiblement la nappe d'eau grise qui recevait le fleuve. Au loin, suivant le bord de la paresseuse Liffey, des mâts élancés rayaient le ciel, et plus loin encore, la masse confuse de la ville se prosternait dans la brume. Pareille au décor de quelque tapisserie indécise, vieille comme la lassitude de l'homme, l'image de la septième ville de la chrétienté apparut nettement par-delà l'atmosphère dépourvue de toute marque du temps ; et elle n'était ni plus vieille, ni plus lasse, ni moins patiemment soumise qu'à l'époque des premiers parlements scandinaves.*

Si *Les Exilés*, décidément une erreur, restreint un instant l'horizon aux proportions d'une chambre du Ranelagh, *Ulysse* vient concilier l'exactitude et l'impressionnisme : Dublin y sera aussi minutieusement décrit que fantastiquement métamorphosé. Ici donc rues, places, statues, personnages formeront autant d'analogies, tel quartier figurant tantôt Ithaque, tantôt la mer, l'antre d'Éole, la grotte de Circé ; bref, d'une ville réelle nous passerons insensiblement à une ville symbolique, dont les sites nous renverront à l'*Odyssée*. La simple comparaison entre le Ringsend dépeint dans *Une Rencontre* et l'évocation qu'en fait Stephen dans sa rêverie montre combien le sens occulte des lieux en modifie les apparences. *Sentinelle : île de la soif terrible. Des cercles de tonneaux brisés au bord de l'eau ; sur le sable, un dédale de filets sombres, astucieux ; plus loin, des dos de maisons avec leurs portes griffonnées à la craie ; et à mi-côte, sur une corde de séchoir, deux chemises crucifiées. Ringsend : wigwams de pilotes basanés et de patrons de barques. Leurs coquilles.* Et c'est enfin dans *Finnegans Wake* que ces allégories, limitées jusqu'alors à telle légende particulière, celle d'Icare, d'Ulysse, de Télémaque, ambitionnent de résumer l'histoire universelle. Là, Dublin, retrouvant le caractère onirique de son étymologie (la mare noire) deviendra le théâtre où le destin du monde se précipite vers sa fin. Dans les murailles du sommeil, cent peuples, mille héros mêleront leur chronique tumultueuse, chaque exploit faisant surgir d'interminables résonances, transformant tel parc en Eden, en Terre promise, en forêt enchantée, tel tertre en Sinaï, telle plage en Crimée, telle flaque en océan, et nous verrons la ville reculer dans le temps et l'espace, confondre les siècles, les civilisations, se couvrir de ténèbres, se peupler de spectres, comme si la création entrait en son Apocalypse.

De livre en livre, change ainsi la capitale du pays Joyce.

Mais aussi de chapitre en chapitre, de page en page. Voyez *Ulysse.* Les trois premiers tableaux se situent entre Sandycove et Dalkey, le long d'une côte quasiment déserte. Le jour se lève, l'esprit voyage sur les eaux, toute la nature dialogue avec l'éternité : *L'ombre des forêts flottait dans la paix du matin entre la tour et la mer que regardait Stephen. Au creux de la baie et au large blanchissait la mer miroitante, éperonnée par des pieds fugaces et légers.* Et voici qu'en contraste avec cette solitude, la ville s'ouvre soudain : boucheries, postes, tramways, théâtres, temples, pharmacies, bains-douches, restaurants, musées... A la suite de Bloom, nous pénétrons *au cœur de la métropole hibernienne* dont la vie grouillante nous conduira vers la pénombre d'une bibliothèque où l'intrigue, un instant, se repose. Avec une patience de maniaque, Joyce conjugue en ces fresques l'infiniment grand et l'infi-

niment petit : toutes les rues concourent à la grandiose ubiquité, toutes les boutiques, les vitrines, les maisons, les couleurs, les rumeurs, les odeurs... C'est l'inventaire entier d'un monde, le recensement subit d'une population prise en flagrant délit d'existence. Mais à mesure que le soleil décline, que la fatigue s'empare des errants, le paysage sombre dans la torpeur. De plus en plus l'imagination prendra barre sur le réel, faisant d'un bar une salle d'antiennes ou d'un fiacre le char d'Élie. Un instant, Bloom s'en évadera pour admirer sur la plage le bouquet du feu d'artifice, et puis la fantasmagorie régnera seule, qui culminera dans la soirée frénétique du lupanar, et préparera les lieux au sommeil de *Finnegans Wake* : retour de Bloom et de Stephen dans les rues endormies, nuit morte, trains qui sifflent au loin : Dublin s'efface, regagne ses ténèbres, mères des songes, des fantômes, des dieux...

ublin, ville des grilles

En attendant Godot

Les quinze nouvelles groupées sous le titre de *Dubliners (Gens de Dublin)* posent ainsi les premières pierres d'une cité qui devait prendre, à la longue, ces développements mythologiques... Mais l'œuvre a son histoire qui vaut d'être contée. On sait que Joyce l'ébaucha vers 1903, y travailla assidûment les années suivantes, en publia quelques parties dans des revues, et porta le point final en décembre 1905. Pressenti par Arthur Symons, l'éditeur londonien Grant Richards, qu'avait intéressé *Musique de Chambre*, accepta le manuscrit, le retint, le fit lire... Et alors commença une correspondance à lasser la patience d'un mandarin, une correspondance affreuse, interminable, où la courtoisie, l'astuce, l'espérance allaient alterner avec la menace et la sommation. Texte reçu, marché conclu ; puis silence ;

puis réflexions, délais ; puis contrat; puis silence à nouveau ; doutes, arguties, critiques de détail ; puis refus d'imprimer des histoires si licencieuses ; protestations mutuelles ; atermoiements ; puis apparition, pour compliquer les choses, de nouveaux morceaux : *Un Petit Nuage*, *Les Morts* ; négociations machiavéliques : telle nouvelle contre telle coupure, telle promesse contre tel changement ; bruits de procès ; puis compromis ; puis dérobades... et ce huit ans durant, pour enfin parvenir au plus cordial désaccord.

Exténué par ces maquignonnages, Joyce avait quitté Trieste pour Rome, et *Dubliners* pour *Stephen Hero.* C'est alors, au milieu des besognes bancaires, des brouillons d'épisodes ou de mises en demeure, des missives de Grant Richards toujours rusées et filandreuses, qu'arriva la nouvelle : un autre éditeur, Elkin Mathew, se décidait à publier... *Musique de Chambre.* Des bagarres éclatèrent à Dublin. Il est vrai qu'elles n'avaient point Joyce pour objet, mais Synge dont le *Baladin* venait d'allumer les foudres du Sinn Fein. Joyce, lui, retouchait *Les Morts* quand le vacarme lui vint aux oreilles. Dublin, décidément, ne le laisserait plus dormir. Et voici qu'en trois lettres à Stanislaus une idée se leva comme un astre : l'idée de résumer la ville entière dans la journée d'un de ses habitants, Mr Hunter, alias Ulysse ! 30 septembre 1906 : *J'ai en tête une nouvelle histoire pour* Dubliners. *Elle traite de Mr Hunter.* 30 novembre 1906 : *Je pense commencer ma nouvelle,* Ulysse, *mais j'ai trop de soucis en ce moment.* 6 février 1907 : Ulysse *n'a toujours pas dépassé le titre.* Puis le silence : l'idée germait. Trois mois plus tard, *Musique de Chambre* sortait, comme prévu, chez Mathew et, comme promis, Arthur Symons encensait dans la presse ces trente-six poèmes « si fermes, si délicats, si chargés de musique et de suggestion » qu'on ne pouvait désigner le meilleur, « tous étant d'un égal mérite ».

Comme ces louanges, toutefois, ne nourrissaient pas la famille, laquelle, le 26 juillet, s'augmentait d'une bouche, Lucia, Joyce dont le caractère s'assombrissait, et qui voyait aux affres de l'exil s'ajouter celles de l'iritis, passa de la poésie sucrée au journalisme amer, et publia en italien dans *Il Piccolo della Sera,* quelques articles sur le thème : Irlande fief du Pape et de l'Angleterre, ce qui ne l'empêcha pas de traduire, entre temps, toujours en italien, *Cavaliers vers la mer* et *La Comtesse Cathleen.* Le 1er août 1909, accompagné de son fils Giorgio, il s'embarqua pour sa capitale. Plus d'un

« Ah Dedalus, les Grecs ! » (O' Connell Street)

motif l'y poussait : sur les conseils d'un compatriote, il avait osé proposer *Dubliners* à Dublin même, chez un éditeur, Maunsel and Co, dont les réponses commençaient à rappeler celles de Grant Richards. Le temps d'embrasser les siens, de confier l'enfant à sa tante Poppie, et Joyce ouvrit donc avec ledit Maunsel des pourparlers que conclut la signature d'un contrat. Satisfait là-dessus, le voyageur se produisit dans quelques quotidiens, assista à la première de *Blanco Posnet* de Bernard Shaw, en rendit compte pour *Il Piccolo*, visita ses amis, releva leurs commentaires : Tante Joséphine : « comme il a vieilli ! » — Cosgrave : « une mine superbe » —

Eglinton : « l'air ecclésiastique » — Gogarty : « Jaisus ! t'as la phtisie ! » — O'Leary Curtis : « beaucoup plus mûr » — Sheehan : « un peu trop mince » — Eileen : « l'air d'un étranger » — Keohler : « tu parais trente-cinq » — Mrs Skeffington : « il n'a pas changé » — Skeffington : « un rien blasé » — Tout-un-chacun : « mélancolique » — Russel : « très homme d'affaires » — et, fin septembre, voyant déjà poindre la renommée, s'en revint à Trieste...

où le supplice recommença : l'éditeur dublinois, digne émule du londonien, exigeait des coupures, biaisait, temporisait... Joyce vit rouge. Le 18 août 1911, il envoya à la presse une lettre ouverte, que publièrent *Sinn Fein* de Dublin et *Northern Whig* de Belfast, exposant la persécution dont ses nouvelles étaient l'objet. N'était-il pas allé, du reste, jusqu'à consulter George V lui-même sur la question ? La conséquence fut piteuse : la cour et l'opinion avaient d'autres chats à fouetter. Accepté aux Communes, repoussé aux Lords, le Home Rule connaissait un peu le sort du livre, avec des conséquences, toutefois, plus étendues ; en Angleterre, les partis étaient divisés ; en Irlande, l'agitation battait son plein ; en Europe les choses n'allaient guère mieux : la Bosnie, annexée par l'Autriche, rongeait son frein, l'Italie et la Turquie étaient aux prises et, de Rome à Berlin, de Paris à Saint-Pétersbourg, anarchistes et nihilistes plaçaient leurs bombes plus promptement que les écrivains leurs manuscrits. Le massacre approchait. La famille Joyce fit un dernier pèlerinage aux sources. Cependant que Nora et les enfants gagnaient Galway, James reprit ses démarches décourageantes. *Dubliners* était composé : l'éditeur allait-il courir le risque ? C'était compter sans la morale qui à Dublin non plus qu'à Londres ne souffrait qu'on pût appeler les choses par leur nom et traiter avec une égale objectivité des curés, des pédérastes et des souteneurs. Finalement, Maunsel se rétracta et poussa l'insolence jusqu'à réclamer 30 livres de dédommagement. Joyce emprunta, acheta les plombs et entreprit de faire imprimer le livre à son compte ; mais le jour où il vint en prendre livraison, « l'éditeur, à sa grande surprise, lui apprit que l'édition avait été achetée — par qui ? on ne l'a jamais su — achetée en bloc et aussitôt après brûlée, dans l'imprimerie même, à l'exception d'un seul exemplaire qui lui fut remis [1] ».

---

1. Valery Larbaud : *ouv. cité.*

En quittant Dublin, mi-septembre 1912, Joyce atteignait, comme dit Gorman, le nadir de sa malchance. Il entrait bien un peu de pose en cette figure du poète s'excluant lui-même de la république ; mais dix ans de lutte et de malentendus s'achevaient là. Avec l'Irlande Joyce laissait derrière lui sa malédiction. En 1913, à Trieste où il avait repris ses cours et prononcé quelques conférences sur *Hamlet*, sur Defoe, sur Blake, une lettre d'un certain Ezra Pound vint l'assurer de l'attention des écrivains, Wyndham Lewis, Richard Aldington, T. S. Eliot, que groupait la revue londonienne *The Egoist* : un poème de *Chamber Music* était choisi pour l'anthologie des Imagistes. Sous de tels auspices, la collaboration dépassa vite le cadre poétique, et *Portrait of the Artist*, sacré chef-d'œuvre de la nouvelle école, commença de paraître mensuellement. Du coup, flairant l'aubaine, Grant Richards capitula, accepta tout : les additions, les allusions, les grivoiseries, l'immoralisme, régla l'affaire en deux temps trois mouvements, et voici : *Dubliners* sortit enfin à Londres, au moment où la guerre éclatait sur le continent.

▲
« *Aujourd'hui, les bardes doivent boire et bâfrer* »

Une infortune si prolongée n'était point sans motifs : elle procédait de l'œuvre même. Non seulement Joyce y abordait des thèmes que la censure victorienne avait classés comme intouchables : la profanation *(Les Sœurs)*, la perversion sexuelle *(Une Rencontre)*, le maquerellage *(Les Deux Galants)*... mais encore, rompant avec toute convention, il osait compromettre des personnes vivantes et poussait l'insolence jusqu'à préciser leurs noms, leurs métiers, voire leurs domiciles. Intransigeante, sa mordacité n'oubliait ni les individus ni les institutions. Comme par hasard les prêtres mouraient beaucoup en ces nouvelles, les citoyens les plus respectables collectionnaient les tares, l'ivrognerie surtout, la paillardise, l'ignorance, cependant que la religion, la bourgeoisie, la famille, la politique, le journalisme, l'art même apparaissaient comme les domaines privilégiés de la sottise et de l'hypocrisie. Il y avait donc certains moments de cette comédie qui passaient difficilement la rampe et des mots, des mots d'une vérité cruelle : *c'est aujourd'hui l'anniversaire de Parnell, ne réveillons pas de mauvais souvenirs, nous le*

respectons tous maintenant qu'il est mort et enterré, même les conservateurs. Enfin, sacrilège, puisque chacun en prenait pour son rhume, Edouard VII lui-même, roi d'Angleterre, n'était pas épargné, qui se trouvait décrit par les pochards du cru comme *un bon vadrouilleur*, aimant *son verre de grog.*

Les critiques qui devaient, devant ce franc-parler, évoquer Flaubert, Maupassant, Zola, Ibsen, Tchékhov, ne laissaient pourtant pas de commettre une lourde erreur. *Dubliners* pouvait offrir des tranches de vie, des documents sociaux, des cas objectifs, une présence obsédante y régnait partout : celle de l'auteur. *Jeune homme, il avait jeté sa gourme ; il s'était vanté d'être libre penseur et avait nié l'existence de Dieu devant ses compagnons dans les bistros.* Adulte, comme Gallaher, *il avait fait son chemin. Cela se voyait tout de suite à sa tournure de voyageur, à son complet de tweed irréprochable et à l'assurance de son parler.* Écrivain, il avait comme Mr Duffy sur son bureau *le manuscrit d'une traduction de* Michael Kramer *de Hauptmann.* Publiciste, comme Gabriel Conroy, *il écrivait en effet un article littéraire dans le* Daily Express *tous les mercredis.* Professeur, *presque chaque jour, ses heures d'enseignement au collège une fois terminées, il avait coutume d'errer le long des quais jusqu'aux bouquinistes de seconde main, chez Hickey, sur le Bachelors Walk,* là même où Bloom se fournirait en ouvrages pornographiques. Et n'était-ce pas de Joyce enfin que le vieux pourrait dire à la soirée Parnell : *Je l'avais envoyé aux frères de l'école chrétienne... Qui aurait cru qu'il tournerait comme cela ?*

Voilà qui expliquerait déjà la parenté de ce livre et de ses successeurs. Parenté des techniques : dès *Les Sœurs,* parlant du mort, la tante inaugure le procédé des mots omis : *Est-il... sans souffrance ?* puis à propos du calice brisé : *Et était-ce cela qui...* demande-t-elle. *J'ai entendu dire quelque chose...* Parenté des motifs : Paris ville immorale, vantée par Gallaher dans *Un Petit Nuage,* se retrouvera dans les monologues de Stephen et dans sa harangue sur *Hamlet* ; la photographie, où selon Cunningham excellait Léon XIII, sera l'apanage de Milly Bloom ; le bel canto, qui pointe dans *Une Mère* et *Les Morts,* ira s'épanouir chez les Sirènes ; la Liffey, cent fois traversée, longée, contemplée, coulera dans *Finnegans Wake* ; et les transports, les enterrements, les repas de famille, les théâtres, les beuveries, les suicides, les messes, les journaux, les magasins, les restaurants, les sergents de ville, les maladies : autant de thèmes qui

trufferont les œuvres à venir. Parenté des personnages enfin : Bantam Lyons, joyeux fêtard, Gallaher, journaliste, Davy Byrne, cafetier, Paddy Leonard, consommateur, O'Madden Burke, folliculaire, Tom Power, employé à la gendarmerie, Tom Kernan, commis-voyageur, M'Coy, ancien chanteur, Martin Cunningham, portrait de Shakespeare, Bartel d'Arcy, ténor, etc., reparaîtront dans *Ulysse*, et supposés si familiers qu'il faudra relire *Dubliners* pour bien comprendre leur conduite.

Commence-t-on à percevoir la cohérence de ces nouvelles ? Chacune d'elles représente à la fois un tout et un élément de l'œuvre entière, exactement comme les divers chapitres de *Dedalus*, d'*Ulysse* et de *Finnegans*. C'est qu'elles s'organisent autour de faits énigmatiques dont les conséquences s'étendent à l'infini. Un prêtre brise son ciboire ? Il sombre dans la démence. Un banquier quitte son amie ? Elle tombe sous un train. Un vendeur perd sa clientèle ? Il roule au bas d'un escalier. Et l'idée de chute n'est pas la seule à susciter ces correspondances. Un voyou entend un harpiste ? Il se surprend plus tard à en mimer le jeu sur les barreaux d'une grille. Un écolier va voir décharger un cargo et cherche, on ne sait pourquoi, un marin aux yeux verts ? Ces yeux verts, ce seront ceux du satyre qui l'abordera... Plus on lit ces histoires, plus on découvre enfin qu'elles entretiennent d'innombrables rapports. Ainsi le repas ridicule de *Cendres* et la rêverie solitaire de *Pénible Incident* annoncent le réveillon des *Morts* et le songe funèbre qui lui succède. La chanson niaise qu'ânonne Ursule a pour répliques le poème ampoulé sur Parnell et le discours inepte de Gabriel Conroy. Le tire-bouchon que réclame Joe devient, dans le *6 Octobre*, une obsession pour les participants. Le même Joe se vante d'avoir rembarré son chef de bureau ? Farrington imitera exactement ces rodomontades. Nous ne sommes donc point devant des intrigues isolées, étrangères, mais devant un univers parfaitement constitué où les choses, les circonstances et les personnes se répondent : par leur structure, ces quinze nouvelles composent un roman.

Ringsend

Valery Larbaud observait que la clé d'*Ulysse* se trouve sur la porte, ou plutôt sur la couverture : le titre même. Semblablement, la clé de *Dubliners* est livrée dès la première page, par les trois mots qui intriguent tant le narrateur : *paralysie*, *gnomon* et *simonie*. Paralysie : perte totale ou partielle de l'aptitude aux mouvements volontaires. Gnomon : ancêtre du cadran solaire, instrument dont se servaient les anciens pour déduire de l'ombre portée d'un petit style la hauteur du soleil et, par suite, l'heure approximative. Simonie : crime qui consiste à trafiquer des choses spirituelles et sacrées. Ces trois thèmes vont définir les unités d'espace, de temps, d'action de ces nouvelles : Dublin sera la ville où les âmes prisonnières assisteront de jour en jour à leur propre dégradation. Ce mouvement infernal est indiqué lui-même par l'ouverture : *Chaque soir, en levant les yeux sur la fenêtre, je me répétais doucement à moi-même le mot* paralysie. *Il sonnait, étrange à mes oreilles, comme* gnomon *dans l'œuvre d'Euclide et* simonie *dans le catéchisme. Mais aujourd'hui il sonnait comme le nom d'un malfaisant et diabolique génie.*

Paralysie s'entend d'abord au sens propre : d'un bout à l'autre de *Dubliners*, des personnages seront frappés de mort, d'immobilité, depuis le révérend James Flynn, décédé dans sa soixante-cinquième année, et dont l'image se retrouve en celle du Père Purdon peinant pour grimper en chaire, impotent lui aussi, jusqu'à Mr Kernan, sanglant, gisant à terre, atteint de congestion, *incapable de tout effort.* Mais ces disgrâces corporelles ne seront guère que les symptômes d'un mal autrement grave : la sclérose qui sévit dans toute la cité. Jamais le vieil adage « le mort saisit le vif » n'aura trouvé plus belle application. Car c'est essentiellement le passé, ses traditions, ses fantômes qui empêchent ici les vivants d'accomplir ce qu'ils veulent. Et que veulent-ils ? S'évader justement. Échapper au cauchemar qui lentement les pétrifie, les uns en s'enivrant, les autres en fuyant, d'autres encore en jouant, en festoyant. Impossible! Eveline ne pourra s'arracher à son destin médiocre, aux violences de son parâtre, pour suivre Frank en Argentine : au dernier instant le spectre de sa mère aura raison de tout espoir. Bob Doran a séduit la fille de sa logeuse et répugne à l'épouser ? Il devra s'y résoudre, terrifié par la belle-famille. Chandler aussi voudrait partir — *à Dublin, rien à faire!* — chercher fortune à l'étranger comme le grand Gallaher, mais son fils et sa femme l'emprisonnent en un enfer où jusqu'aux joies du rêve lui sont interdites. Partout des vies brisées, des espoirs avortés, des carrières anéanties, des talents qui se perdent : Dublin ne lâche point ses victimes, et le dernier mot de la philosophie semble ici la résignation : *Sa vie à lui aussi serait solitaire jusqu'au jour où lui aussi mourrait, cesserait d'exister, deviendrait un souvenir — si quelqu'un se souvenait de lui.*

A mesure que l'ombre s'allonge sur le gnomon, la paralysie s'étend parmi les habitants. Leurs entreprises, de moins en moins ambitieuses, échouent les unes après les autres, si bien que même les subterfuges et les divertissements : une course, un dîner, une tournée des grands-ducs, un récital, une simple promenade, promettent les pires déceptions. Cet amenuisement, d'ailleurs, affecte tous les plans : les propos tournent court ; les intrigues s'affadissent ; les personnages circulent, affolés, comme entre les mâchoires d'un piège qui se referme, et conséquemment leurs trajets en ville se raccourcissent. Le détail est d'importance : il éclaire à lui seul la décadence astronomique de ces destins. Situé d'abord en un orient aussi vague qu'évocateur, en Perse, en Arabie, l'horizon auquel aspirent les réprouvés se limite bientôt à Paris, à Londres, puis au port de Dublin, puis au centre : autant dire à l'enfer. Les sept nouvelles du début décrivent ainsi un mouvement géographique d'est en ouest, de la lumière à l'ombre, qui s'alentit, s'arrête même au milieu du livre en un lieu précis : *La Pension de Famille*, et reprend son déclin. De Chapelizod aux îles d'Aran, les dernières histoires conduiront les pensées vers les terres de l'occident, vers la patrie ténébreuse des trépassés où l'âme de Gabriel s'engloutira finalement. On voit ici se dessiner comme un cycle solaire, que souligne encore le vieillissement des caractères, depuis l'enfant des *Sœurs* jusqu'aux douairières des *Morts*, et le temps dans sa marche implacable accomplit donc la même besogne que la ville : il achemine tout être vers sa mort.

C'est cette mort spirituelle, dont la simonie est le plus noir symbole, qui fait de *Dubliners* le livre du désespoir. Chaque récit rapporte un cas particulier de déchéance, une défaite irrémédiable devant le mal. Et cette chute, dont on observe les conséquences dans l'ordre de la vie comme dans celui de la morale, il n'est pas autrement surprenant que Joyce l'ait jalonnée des emblèmes du catéchisme. Les premières nouvelles, qui traitent de l'enfance, évoquent la ruine progressive des trois vertus théologales : la foi, l'espérance, la charité. L'aventure de ce prêtre qui, pour avoir profané le calice, sent sa raison s'éteindre, ses membres se roidir et, claustré dans une chambre, n'a plus en guise d'eucharistie qu'à priser une poudre verdâtre qui souille sa soutane, institue le règne du sacrilège : l'autorité passe aux mains d'une trinité de vieilles sottes qui couchent en bière le malheureux et s'emparent de son fauteuil. La foi détruite, l'espérance succombe aussitôt. Privé de tout soutien par le décès de son précepteur, le gamin, qui deviendra Stephen dans *Dedalus*, peut encore rêver de merveilles terrestres : ses évasions ne dépasseront jamais les terrains vagues du Ringsend, et la communion dont il avait faim s'offrira sous les espèces de biscuits chancis et de limonade fermentée. Le troisième épisode rassemble ces deux thèmes en y joignant celui de l'amour impossible : un autre prêtre est mort ; dans la maison tout se dégrade : moisissure et puanteur ; le monde est bien abandonné, dont la beauté se retire au ciel violet, couleur liturgique, et toute velléité

charnelle (la voisine) ou mystique (la kermesse) rencontrera l'échec. A la fin d'*Arabie*, le drame est donc posé : *Levant la tête pour regarder dans cette obscurité, il me sembla me voir moi-même, petite épave que la vanité chassait et tournait en dérision ; et mes yeux brûlaient d'angoisse et de rage.* Il reste à montrer que cette révolte même est inutile : *Eveline* vient à point l'enseigner.

Les sept histoires qui suivent intronisent alors les péchés capitaux dans leur ordre traditionnel : l'orgueil, l'avarice, la luxure, l'envie, la colère, la gourmandise et la paresse. L'orgueil s'avance avec les m'as-tu-vu d'*Après la Course* : la suffisance des vainqueurs, français pour une fois, l'ostentation de leurs plaisirs futiles, les rengaines, les cartes, caractérisent une société dont les valeurs se ravalent à l'apparat. Sur cette corruption enchérissent *Les Deux Galants*, où l'amour même se fait le complice du lucre, et dont les tristes hères, deux souteneurs dont on reparlera dans *Ulysse*, ne mesurent même plus la bassesse de leurs calculs. Tous ces vices se donnent rendez-vous dans *La Pension de Famille* où la lasciveté de la fille Mooney vient les rejoindre comme les rejoindront, dans *Un Petit Nuage*, la convoitise de Chandler et, dans *Correspondances*, la violence de Farrington. La nature croissante du mal veut, en effet, que chaque défaut, une fois planté, demeure et s'épanouisse ; c'est ainsi que Joyce procède par accumulation, assignant à ses créatures les tares des précédentes, de sorte qu'en Farrington, par exemple, se conjuguent la vanité (sa haine des supérieurs) et la fierté de sa force physique (l'exhibition de ses biceps), la cupidité (ses refus de payer à boire), la lubricité (ses avances à l'Anglaise), la jalousie (son complexe d'infériorité), l'avidité (son ivrognerie) et le sadisme (sa rage contre l'enfant). Avec *Cendres*, l'âme commence son voyage vers le néant ; la dégradation de la vie spirituelle s'affirme : Ursule vide les baquets dans une blanchisserie qui porte pour enseigne *A la lueur des réverbères*, double symbole d'une lumière de plus en plus artificielle et d'un baptême qui ne purifie que du linge sale. La gourmandise, évoquée dans *Correspondances* par les excès de Farrington, décidément le bouc émissaire, est associée ici au paquet de gâteaux dont la perte plongera la pauvre femme dans la honte, comme la paresse enfin est associée, dans *Pénible Incident*, au pessimisme de Mr Duffy, dont la lâcheté condamnera Mme Sinico à la plus horrible des morts.

Dès lors, Dublin entre dans une nuit où les êtres vont prendre une allure fantomatique. Les dernières nouvelles, répétant l'ordre des premières, conteront la déconfiture des vertus cardinales : la force, la justice, la tempérance et la sagesse, respectivement battues en brèche par les preux de Parnell, pitoyables pantins dont toute la vaillance se propose d'accueillir en ami le roi d'Angleterre ; par la malhonnêteté du sieur Holohan qui, dans *Une Mère*, frustre Kathleen Kearney de son argent ; par Tom Kernan qui passe allégrement, dans *Grâce*, du cabaret à l'église catholique ; et par le spectre de Michael Furey qui, dans *Les Morts*, vient confondre le gros bon sens de Gabriel. La déchéance s'arrête là : le viol des sacrements qui, tout au long du livre, accompagnait la descente aux enfers aboutit, en ce finale, à la profanation majeure : la parodie de la Cène que préside, comme dans *Les Sœurs*, un trio de vieilles dénommées *les trois Grâces*, qui figurent plutôt les trois Parques, filles de la nuit, et dont l'officiant, Gabriel Conroy, après avoir prononcé l'absurde évangile, découvrira l'horreur de cette vie et, glacé, paralysé, perdu dans les ténèbres, ouvrira son âme au néant, à cette neige funèbre qui descend sur Dublin comme la fin des temps, qui descend sur l'Irlande, sur la terre et la mer, et recouvre d'un même linceul *les vivants et les morts*.

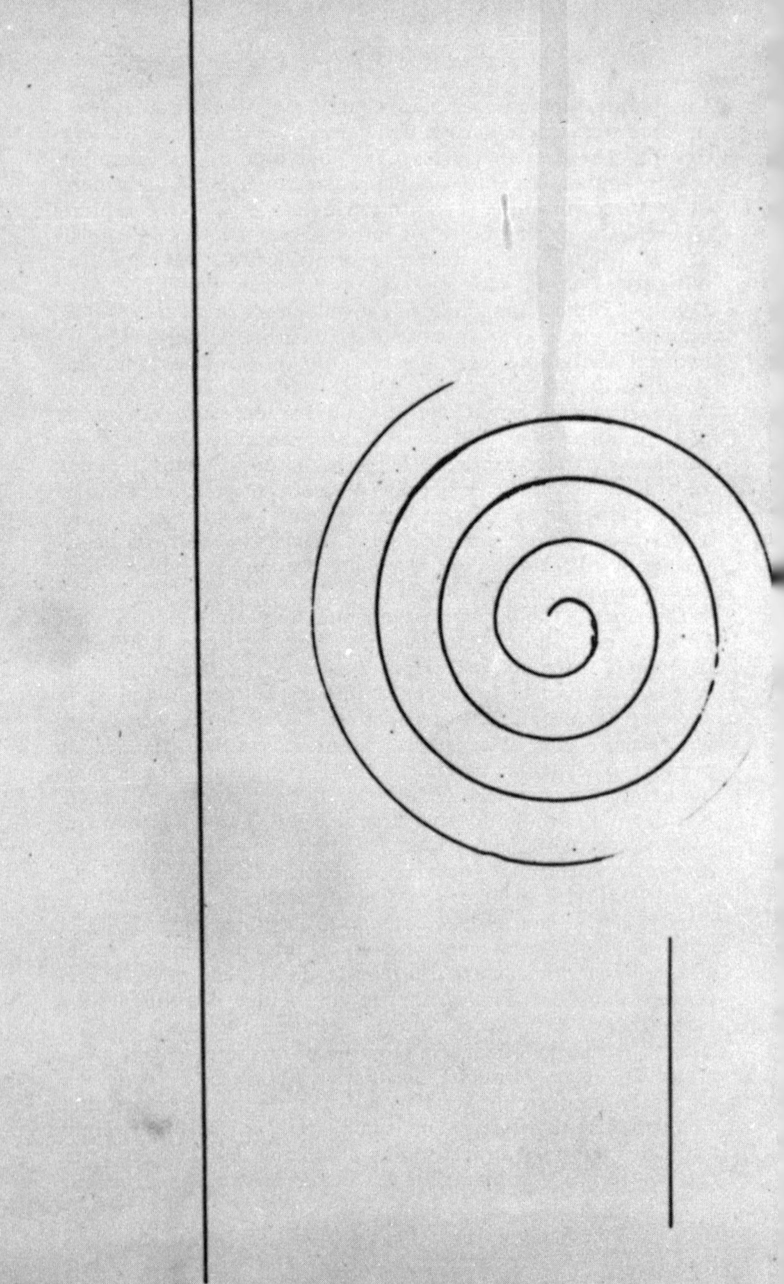

Antique ancêtre, antique artisan, assiste-moi maintenant et à jamais.
Dedalus

LE LABYRINTHE

Gens de Dublin que la première guerre devait éclipser comme la seconde éclipserait *Finnegans Wake*, *Gens de Dublin* tenait du présage. En reflétant la situation de l'Irlande écrasée militairement par l'Angleterre et spirituellement par le catholicisme, et en figurant la capitale comme une geôle où l'âme ne pouvait attendre que la mort, ces nouvelles annonçaient la dualité qui marquerait tous les livres de Joyce : celle du réel et du symbole. C'est de cet enfer que le jeune homme allait s'évader en 1902, pour découvrir à Paris sa vocation d'artiste... Ici encore, l'évasion trahit un double sens : en reniant Dublin, Joyce reniait aussi l'histoire et s'assignait à tout jamais une étonnante neutralité ; mais en se dérobant aux luttes de son peuple, il entreprenait une œuvre qui servirait, à son insu, les mêmes fins. Dublin comptait mille plumitifs engagés, moralisateurs, valets de l'actualité patriotique ; par un paradoxe bien irlandais, c'est à son renégat que le pays devrait de forcer l'attention du monde et d'opérer, comme dirait Valery Larbaud, « une rentrée sensationnelle dans la haute littérature européenne ».

Portrait of the Artist as a young man, commencé à Dublin en 1904, achevé à Trieste en 1914, édité à New York en 1916, est d'abord le récit de cette délivrance, l'image du jeune Joyce triomphant peu à peu des conditions qui paralysent ses compatriotes, et s'élançant à la conquête de son génie. Du jeune Joyce qui prend ici le nom fameux de

Portrait de Joyce par Brancusi : « Mon Dieu qu'il a changé ! », s'exclamait John Stanislaus à cette vue.

l'architecte : Dedalus. *Tout à l'heure, le spectre d'un ancien royaume danois s'était montré sous le vêtement de la ville drapée de brumes. Maintenant, à l'évocation de l'artisan légendaire, il croyait entendre un bruit de vagues confuses et voir une forme ailée volant sur les flots, s'élevant lentement en l'air. Qu'est-ce que cela signifiait ? Était-ce une devise bizarre à la première page de quelque livre de prophéties et de symboles du Moyen Age, cet homme-faucon montant au-dessus des vagues vers le soleil? était-ce le signe du destin pour lequel il était né, qu'il avait poursuivi à travers les brouillards de l'enfance et de la jeunesse ? était-ce le symbole de l'artiste reforgeant dans son atelier, avec l'inerte matière terrestre, un être nouveau, impalpable, impérissable, capable d'essor ?*

Si *Dubliners* était le livre du déclin, le *Portrait* sera celui de la résurrection : *Printemps sauvage. Nuages fuyants... Bienvenue, ô vie !* Mais l'insistance que met Joyce à en suggérer le caractère allégorique montre assez que cette renaissance dépasse la simple biographie. C'est ici que le jeu de la réalité et des symboles va commencer, qui prendra, dans *Ulysse* et *Finnegans Wake*, les proportions d'une véritable philosophie. D'une part, Joyce conte bien son aventure personnelle : les études à Clongowes, l'entrée dans la vie sociale, la crise religieuse, les doutes, la victoire ; mais, d'autre part, il souligne ce qu'elle présente de commun avec le sort de tels héros historiques ou légendaires, en sorte que l'intrigue, répercutée, systématisée par ces allusions, apparaît, au-delà des événements qui la composent, comme la somme de plusieurs destins et de plusieurs mythes. Dans *Dubliners*, les personnages n'incarnaient guère que des notions morales : Eveline ou l'impuissance, Chandler ou l'envie, Mr Duffy ou l'égoïsme ; dans le *Portrait*, ils assumeront, outre leur propre rôle, celui des figures qui leur ressemblaient par le passé. Que Lynch trahisse son magister, et il sera Judas, Iago, Rosencrantz, Guildenstern, Healy, déloyal compagnon de Parnell, tous les félons de tous les lieux et de tous les temps ; qu'une vierge au beau sein se profile sur champ de mer, et elle sera Vénus, Ariane, Nausicaa, Iseult, Ophélie, Deirdre, Marguerite ; et pour en venir au protagoniste, Stephen Dedalus, disons qu'il symbolisera : Dédale, Icare, Thésée, Télémaque, Ulysse, saint Étienne et James Joyce lui-même, sous réserve qu'une analyse plus poussée en révèle quelques autres confrères : Héraclès, Œdipe, Jason, Cuchulainn, Tristan, saint Brendan, Don Juan, Hamlet, Faust, ou Peer Gynt...

Toutes ces présences, toutes ces fables qui se dessinent à l'arrière-plan ne seront pas d'égale importance. Sur celle de Joyce, il n'est plus besoin d'insister : d'un bout à l'autre, Stephen sera son double, son porte-parole, le héraut de sa destinée et de ses théories. En revanche, pour s'imposer avec moins d'éclat, d'autres figures n'en compteront que de plus subtiles résonances. Ce sera notamment le cas de saint Étienne : Juif hellénisé ou Hellène converti, lapidé par la populace de Jérusalem, ce protomartyr dont le culte se célèbre le 26 décembre, jour symbolique s'il en est puisqu'il suit immédiatement la naissance du Christ, se rattache bien à Stephen par le nom, « la couronne », mais par la race et le supplice annonce Bloom : *un juif grec est un grec juif, les extrêmes se touchent*, Bloom qui sera, dans *Circé*, bombardé par les épiciers *d'objets de petite ou de nulle valeur marchande, os de jambon, boîtes de lait condensé vides, choux invendables, pain moisi, queues de mouton, débris de lard*, tous reliefs rappelant que Stephanos présidait au service des vivres. Il est étrange aussi que les commentateurs n'aient jamais découvert en Stephen une réplique de Thésée ; tous deux ne sont-ils pas vainqueurs du Labyrinthe, et sauvés par la grâce d'une femme? Quand à Dédale, Icare, Ulysse, Télémaque, si leur fonction s'éclaire assez au cours du livre, il reste à déceler la mystérieuse parenté qui les rassemble ici sous un même destin...

Le thème de Dédale paraît si manifeste que le titre français, *Dedalus*, répond infiniment mieux à l'esprit du livre que l'original, *Portrait of the Artist*. C'est à l'image d'un dédale, en effet, que ce roman est composé, tout en angles brusques, en détours, en bifurcations, chaque motif s'interrompant, se ramifiant comme un couloir, où l'on avance en pressentant partout des chausses-trapes, des fausses portes et d'insolites perspectives. D'une telle architecture l'intrigue suit naturellement : elle contera les efforts répétés de Stephen pour sortir de ce piège qui se nommera successivement l'enfance, le collège, la religion, la famille, la patrie, l'histoire, tout ce qui depuis des siècles emprisonne l'individu ou s'oppose à son libre épanouissement. Mais l'analogie porte plus loin encore. La tradition représente Dédale captif du Labyrinthe qu'il a construit lui-même : ne faut-il voir ici l'artiste aux prises avec son œuvre et qui ne peut s'en libérer qu'en la reniant? Il est clair que Joyce est cet illustre bâtisseur dont on rapporte aussi qu'à l'exemple du romancier il fabriquait des statues animées... Mais, maçon, sculpteur, mécanicien, Dédale passe enfin pour avoir enseigné aux Grecs la navigation, et voici paraître Ulysse qui sera donc à ce précurseur ce qu'est l'élève au maître, le capitaine à l'armateur.

Cependant notre homme, jaloux de son neveu Telos, le précipita du haut de l'Acropole, comme lui-même serait précipité dans le Labyrinthe, et son fils Icare dans la mer Egée. Exilé en Crète, Dédale édifia pour Minos l'ouvrage secret où loger le Minotaure, mais dut expier une faute capitale en s'y voyant lui-même incarcéré. Quelle faute ? Ici divergent les légendes. Suivant les plus banales, il aurait révélé à Ariane le plan du Labyrinthe, lui fournissant ainsi le fil qui guiderait Thésée. Selon d'autres, plus suggestives, il aurait confectionné à la demande de Pasiphaë la vache de bois où elle s'enfermait pour forniquer avec son taureau et cocufier le roi mieux à son aise. *Les reines*, dira Stephen, *couchaient avec les taureaux primés. Rappelez-vous Pasiphaë pour les débordements de laquelle mon grosvieuxgrandpère a fabriqué la première boîte à confesse.* Or cette vache nous la rencontrons dès la première ligne de *Dedalus : une vache (meûh) qui descendait le long de la route.* Le livre s'ouvre ainsi sur la réminiscence du péché de Dédale qui, comme celui d'Adam, va tout aussitôt se transmettre à Stephen : *et cette vache qui descendait le long de la route rencontra un mignon petit garçon qu'on appelait tout-ti-bébé...* A peine né, l'enfant est donc promis au Labyrinthe.

Toutes les mythologies font de la vache l'emblème de la fécondité. Mais son crime ? Précisément cette fonction nourricière qui concerne la chair, et non l'esprit. Pour le théologien qu'est Joyce, la faute impardonnable, c'est bien que la parenté animale précède, contre toute dignité, la parenté spirituelle. Qu'on se souvienne de Stephen évoquant Ève nue : *Elle n'avait pas de nombril. Contemple. Ventre sans tache, gros de toutes les grossesses*, et, pour cette raison même, *ventre de péché.* Horreur du corps, de l'accouplement, des obscures gésines ? Joyce n'est point seul à tenir que le mal se perpétue par la femme, avec la vie : Calderon y voit le « delito mayor » ; Shakespeare, « l'acte des ténèbres » ; Swift en souffre comme d'une obsession ; Baudelaire rêve de naissance immaculée ; Artaud maudira le sexe et ses maléfices ; et tous les sacrements, tous les rites initiatiques ne visent-ils pas à détacher l'homme de l'esclavage corporel pour l'introduire dans le royaume de pureté ? *Lit nuptial, lit de parturition, lit de mort :* voilà ce que Stephen ne cessera de répudier ; toute sa doctrine de la paternité affirmera que le seul lien valable entre les êtres est celui que n'entache aucune loi de sang. Vivre vraiment, ce sera s'arracher à cette origine bestiale, mais qui saurait y parvenir sans encourir le châtiment ? L'enfant pourra se promettre, inconsciemment, de déserter une seconde fois le ventre de sa mère : *quand il serait grand, il se marierait avec Eileen ;* aussitôt il se cachera, de honte, *sous la table*, où la voix de justice le poursuivra : *Va demander pardon.*

Le Labyrinthe est donc, avant tout, une punition. Il est donc la prison symbolique de l'existence, la condamnation à un voyage sans horizon. Il est l'enfer dont Stephen entendra bientôt une effroyable description, et dont Grimmelshausen, parodiant Virgile et Dante, nous apprend que, s'il est fort aisé d'y descendre, « il faut suer sang et eau pour en remonter ». Car pour un Gœthe qui se flatte innocemment d'être « jeune et sur une voie qui me sortira du labyrinthe », combien de Gides avoueront comme Thésée : « Tu ne peux te faire une idée de ce que c'est compliqué le labyrinthe. Demain je te présenterai à Dédale, qui te le dira. C'est lui qui l'a construit ; mais même lui ne sait déjà plus s'y reconnaître. Il te racontera comment son fils Icare, qui s'y était aventuré, n'a pu s'en tirer que par les airs, avec des ailes ». Retenons l'idée : il n'est pas impossible, par principe, de forcer cette énigme de pierre, mais il s'agit de l'aborder avec patience, l'âme aussi haute que l'oiseau, car le salut ne s'offrira qu'au prix d'un long combat où l'on reconnaît sans mal une figure de la quête.

La ville de *Dubliners* était close sur son horreur, ne connaissait qu'une fatalité : la déchéance. Le Labyrinthe est double : si ses couloirs sinueux évoquent les tortures de la géhenne, ils conduisent aussi vers quelque lieu où s'accomplira l'illumination. Ces fonctions géminées procèdent de sa structure que Marcel Brion décrit comme la conjonction de deux motifs architecturaux : l'un fermé, pessimiste, maléfique : la tresse ; l'autre ouvert, optimiste, généreux : la spirale. « Pour le voyageur qui pénètre dans le labyrinthe, le but est d'atteindre la chambre centrale, la crypte des mystères. Mais lorsqu'il l'a atteinte, il doit en sortir et regagner le monde extérieur, parvenir en somme à une nouvelle naissance : tel est le contenu de toutes les religions de mystères, et de toutes les sectes qui regardent le voyage dans le labyrinthe comme le processus nécessaire des métamorphoses d'où surgit un homme nouveau. Plus le voyage est difficile, plus les obstacles sont nombreux et ardus, plus l'adepte se transforme et, au cours de cette initiation itinérante, acquiert un nouveau moi. » [1]

Comme le voyage, le grand œuvre, la quête du Graal, le Labyrinthe propose une allégorie de la destinée humaine. A ce titre il figure, sinon directement, du moins sous forme de plan, d'enchaînement des péripéties, dans tous les romans qui, de *Simplicissimus* à *La Montagne magique*, de *Wilhelm Meister* à *Dedalus*, retracent les enfances, les progrès, l'éducation d'un héros. Mais ce motif, Joyce pouvait l'emprunter à une source directe, nationale : les miniatures. Que ces livres de Kells ou de Durrow, ces croix de Tara, ces châsses de Monumusk proposent des dédales, il n'est, pour s'en aviser, que de suivre leurs lignes entrecroisées, toutes en méandres et replis. La connaissance ne s'offre ici qu'après de longs cheminements semés d'embûches, compliqués d'impasses, de volutes ; et c'est bien cette ascèse qu'imposera l'art de Joyce, un art très semblable à celui des miniaturistes, « fait tout entier du sentiment de ces correspondances secrètes qui emprisonnent la vie dans un réseau », et dont « on ne saurait assez souligner combien il semble proche des transmutations, de la vérité cachée des alchimistes. »

Et Stephen entre au Labyrinthe. Le cube d'ombre sous la table, où cacher la honte d'être né, ouvre aussitôt sur le couloir *étrange et humide* du collège de Clongowes Wood. Et aussitôt, comme si la chute se répétait symboliquement, voici qu'un grand, Wells, pousse l'enfant dans un bourbier. La raison ? Stephen n'a point voulu troquer sa petite tabatière contre un minable marron sec. Prétexte aussi vague, aussi futile, on le voit, que celui qui valut à Dédale son châtiment. Mais on ne brave pas impunément l'autorité, et ce Wells, *vainqueur de quarante parties de jeu*, c'est Minos dont la victoire sur Sarpédon est évoquée ici par la rivalité des clans de York et de Lancastre. Dès Clongowes, nous pénétrons

---

1. Marcel Brion : « Le thème de l'entrelacs et du labyrinthe dans l'œuvre de Léonard de Vinci », *Revue d'Esthétique*, V, nº 1, janvier-mars 1952. Cf. aussi: « Les nœuds de Léonard de Vinci et leur signification », *Études d'Art*, nº 8-10, 1953-54, et « Hofmannsthal et l'expérience du labyrinthe », *Cahiers du Sud*, nº 333, 1955.

Livre de Kells

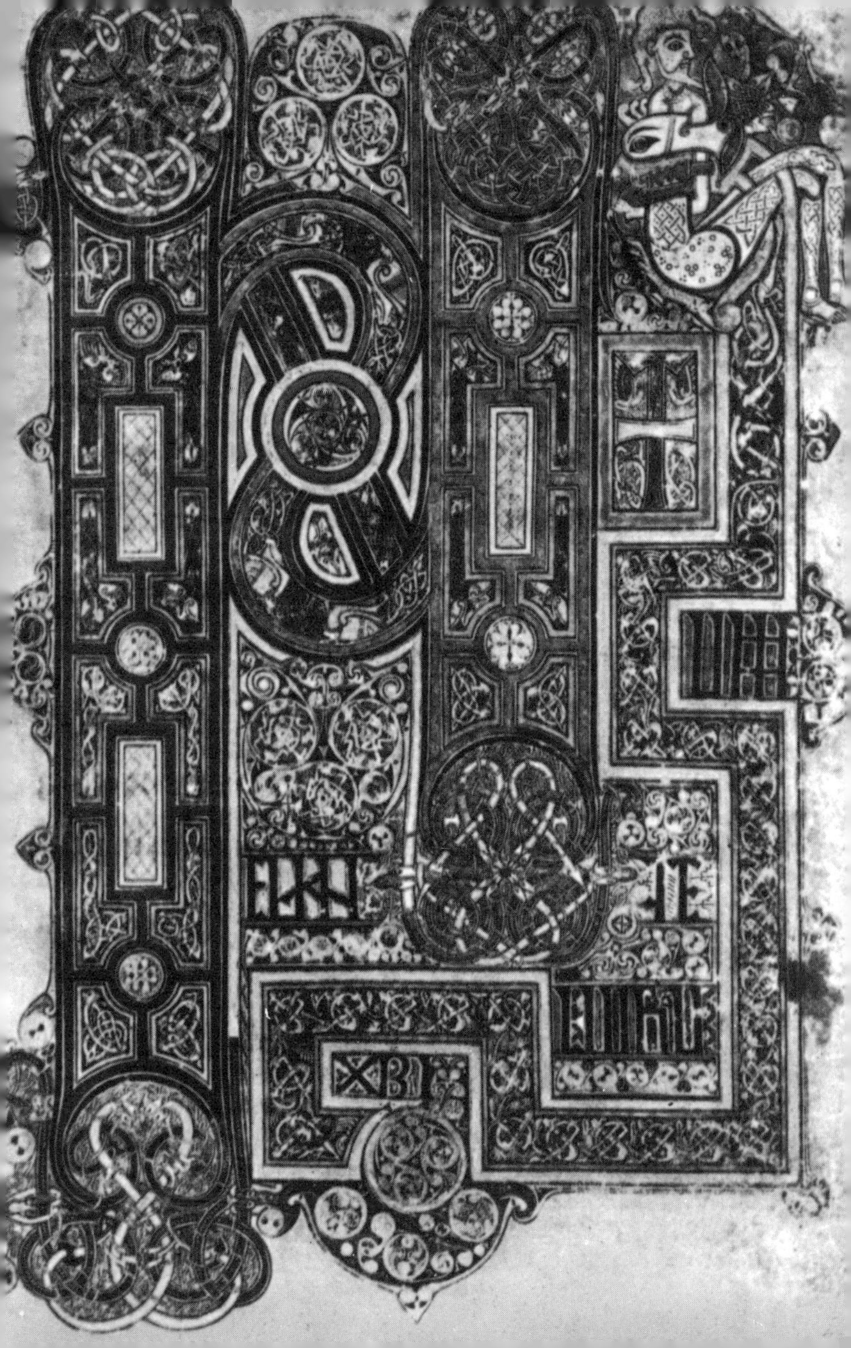

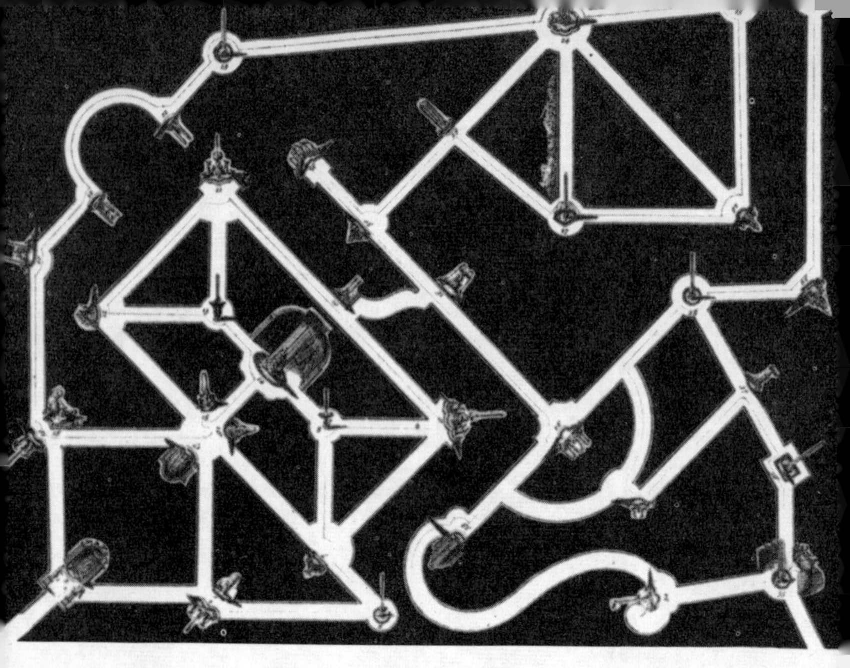

donc en un univers où les symboles se mêlent à tous les événements. et voyagent même d'un corps à l'autre, tel ce Minos qui, de Wells, s'incarnera bientôt dans le préfet des études, le Père Dolan.

En ce monde bizarre, fait de pierre et de brume, l'esprit de Stephen commence à s'égarer. Le mal est entré en lui avec la punition. *C'était Wells qui l'avait poussé la veille dans la fosse... C'était une vilaine action. Tous les garçons le disaient. Et comme l'eau était froide et visqueuse ! Un garçon avait vu un jour un gros rat sauter dans la vase.* A présent, cette boue qui *recouvre son corps*, voilà sa flétrissure, le signe de sa captivité. Le Labyrinthe s'est déjà fermé sur sa victime : *il sentit l'air froid du corridor et de l'escalier pénétrer ses vêtements. Il essayait toujours de trouver la bonne réponse*, tel Œdipe sous la griffe du Sphinx. Et désormais, le drame va se jouer dans un immense souterrain, où décroît la lumière, où se multiplient les caves, les cloisons. *Il suivit la file des autres, de la salle d'étude par l'escalier, et le long des corridors jusqu'à la chapelle. Les corridors étaient mal éclairés et la chapelle aussi. Bientôt tout entrerait dans l'obscurité et le sommeil.* En effet, rêvera-t-on d'une église, d'une chaumière d'antan ? *Oh ! que la route, là-bas, entre les arbres, était noire ! On se perdait dans les ténèbres...*

De plus en plus humides, inquiétants, insolites, les couloirs symbolisent ici, comme chez Kafka, l'emprise croissante de l'inconscient. Car cette chute dans la faute, dans la sentine et le dédale, c'est aussi la chute dans la nuit intérieure, à laquelle les mythologies associent les enfers. Muré dans le cauchemar, Stephen ne tarde pas à entrevoir la foule des damnés : *Toute l'obscurité était froide et étrange. Il y avait là des faces pâles et étranges, des yeux grands comme des lanternes de cabriolet, c'étaient des esprits d'assassins, des figures de maréchaux blessés à mort bien loin au-delà des mers. Que voulaient-ils donc dire, pour que leurs visages fussent si étranges ? « Visite, nous t'en supplions, ô Seigneur, cette demeure. »* Mais la prière se perd sous ces voûtes épaisses, et le délire s'installe dans l'âme délaissée : *Wells faisait des excuses parce qu'il avait peur. Peur que ne s'ensuivît une maladie. Le chancre, maladie des plantes, le cancer, maladie des animaux, ou bien une autre encore. Cela se passait donc il y a longtemps*, si longtemps que la mémoire s'est perdue, que le mal passe tous les remèdes. Maintenant, le Labyrinthe est plus clos qu'un sépulcre ; Stephen s'imagine, se voit, se veut mort :

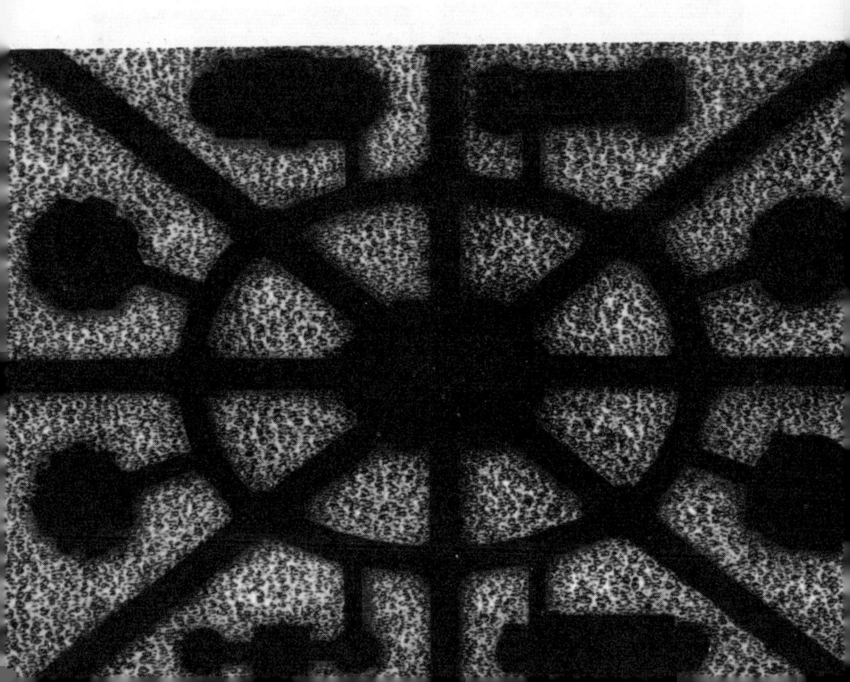

Alors il y aurait un service funèbre dans la chapelle... Wells serait là aussi, mais personne ne voudrait le regarder. Le recteur serait là avec une chape noire et or ; il y aurait de grands cierges jaunes sur l'autel et autour du catafalque. On emporterait le cercueil... Et la cloche sonnerait lentement le glas...

Ainsi chemine l'obsession : Stephen a péché, il est puni, il est malade, il est mort — autant d'étapes d'une culpabilité dont le sentiment le poindra dans *Ulysse*, mais contre laquelle il ne cessera de se rebeller. Dès cet instant, il n'est plus uniquement Dédale, mais Thésée, le héros qui combat dans le Labyrinthe. Et seul. Comme si sa révolte le retranchait des autres, il va devenir cet être souffreteux, honni, que le triomphe même ne sauvera pas de l'isolement. Mais victime expiatoire, c'est aussi à saint Étienne, son chrétien patron, qu'il doit d'être brimé par ses camarades et, contre toute justice, frappé par le censeur pour avoir *cassé ses lunettes* — et de quel usage lui seraient-elles dans la ténèbre ? Autour de lui, les voix amicales se raréfient : *C'est lâche et dégoûtant, tout simplement, dit Fleming dans le corridor, pendant que les élèves défilaient vers le réfectoire — battre un garçon pour quelque chose qui n'est pas de sa faute !* Mais ira-t-il protester

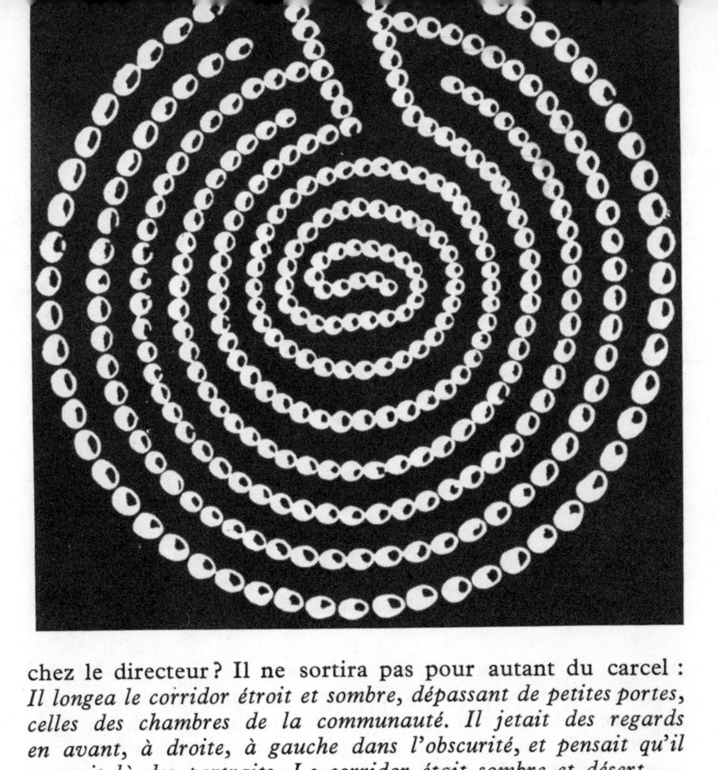

chez le directeur ? Il ne sortira pas pour autant du carcel : *Il longea le corridor étroit et sombre, dépassant de petites portes, celles des chambres de la communauté. Il jetait des regards en avant, à droite, à gauche dans l'obscurité, et pensait qu'il y avait là des portraits. Le corridor était sombre et désert.*

Sombre, désert, étroit, humide, ces adjectifs répétés jusqu'à l'incantation vont aussi caractériser le second dédale qui, de Clongowes, débouche sur Dublin. Stephen a pu quitter l'école, le changement du lieu ne change rien à l'âme. D'ailleurs, a-t-il vraiment changé de lieu ? On en douterait, à l'entendre décrire *la ville sombre et embrumée, la maison nue et sans gaieté où ils allaient vivre désormais.* Et avant que l'obsession des couloirs et des murs compose ce labyrinthe de rues, de porches, de passages auquel la ville se réduira, le martyre va continuer au Belvédère où l'adolescent se verra taxé d'hérésie pour avoir conçu Dieu *sans aucune possibilité de s'en approcher jamais,* comme un prisonnier, en somme, peut concevoir la liberté. Dieu ? Et ne serait-ce pas l'issue de la captivité ? Ce soleil que les esclaves, selon le mythe, contemplent au sortir de la caverne ? Mais ici, dans le souterrain, si l'existence se

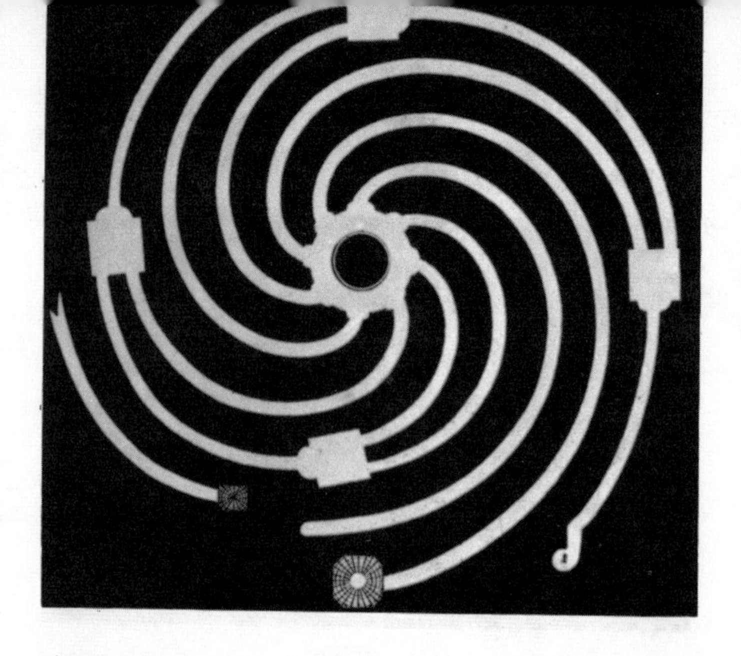

résume en un mot : *fœtus*, gravé sur le bois noir, le pire danger n'est-il point d'abandonner cette nuit pour une lumière illusoire ? C'est aussi contre la tentation chrétienne que Stephen devra donc se défendre, comme s'il pressentait que l'angoisse, les errements valent encore mieux que la sécurité d'un leurre. *Il s'égara dans un labyrinthe de rues étroites et sales. Du fond des impasses immondes il entendait les éclats de voix rauques, les disputes, les refrains traînants des chansons d'ivrognes. Il poursuivait son chemin, sans effroi, se demandant s'il n'avait pas échoué dans le quartier des juifs. Des femmes en longues robes de couleurs vives traversaient la rue d'une maison à l'autre. Elles étaient indolentes et parfumées. Un tremblement le saisit et sa vue se troubla. Les flammes jaunes du gaz montèrent devant ses yeux voilés contre le ciel brumeux, brûlant comme devant un autel. Aux portes et dans les vestibules éclairés, des groupes étaient rassemblés, parés comme pour quelque rite. Il était dans un autre monde : il venait de s'éveiller après des siècles de torpeur.*

Or telle est l'ironie du Labyrinthe qu'on s'y perd à l'instant où l'on croit en sortir. Loin de l'éclairer, le remords qui suit en Stephen la rencontre des prostituées l'enfonce plus avant dans l'ombre. Ce qui frappe, en effet, dans ce récit, c'est l'absence quasi complète d'extérieurs. Toujours plus loin du jour, comme attiré vers le cercle ultime des enfers, l'esprit s'enlise, passe naturellement de la nuit du bordel à celle de l'église. Le Minotaure change de nom, mais le drame continue à se dérouler dans des chambres, des galeries, des confessionnaux, des nefs obscures, suintantes, sans fenêtres. La retraite commence : thème équivoque à souhait qui, sous couvert de religion, laisse entrevoir le repos même de la tombe, l'anéantissement. Comme la neige des *Morts*, le déluge ici menace les pécheurs : *La pluie tombait sur la chapelle, sur le jardin, sur le collège. Il pleuvait, pour toujours, sans bruit. L'eau allait monter peu à peu recouvrant l'herbe et les arbustes, recouvrant les monuments et les sommets des montagnes. Toute vie allait être étouffée, sans bruit : oiseaux, hommes, éléphants, porcs, enfants, cadavres flottant sans bruit dans le chaos du naufrage universel. Quarante jours et quarante nuits, la pluie allait tomber, jusqu'à ce que la face de la terre disparaisse sous les eaux.*

Dans ce grand œuvre, l'irruption du déluge annonce

l'instant le plus profond, le plus dramatique. Elle correspond à la grande dissolution des formes qui précède la naissance du nouvel être, exactement comme dans le cycle zodiacal les Poissons, dernier signe d'hiver, précèdent le Bélier, premier signe de printemps. Ici donc, en effigie, le monde périt et recommence, les eaux déployant leur double symbolisme de destruction et de fertilisation ; et il est fort logique qu'après cette rêverie Stephen affronte le suprême supplice du dédale : *l'enfer s'est élargi et il a ouvert sa gueule sans mesure.* Après l'épreuve de l'eau, le baptême du feu : la purification va l'emporter sur la terreur. Et maintenant, *essayons pendant quelques minutes de nous représenter dans la mesure du possible la nature de ce séjour des damnés que la justice d'un Dieu offensé créa pour le châtiment éternel des pécheurs.* Nous avions l'enfer d'Homère, tout peuplé d'ombres éloquentes, celui de Virgile, spectral, de Dante, hallucinant, de Rabelais, cocasse, de Grimmelshausen, grimaçant, de Gœthe, néo-grec, de Kafka, administratif : l'enfer de Joyce ressemble à celui des « mistères », l'agonie sulfureuse dans un paysage de caves et de corridors. Le sermon qui va terrifier Stephen mène donc à l'extrême le thème du couloir : l'enfer, ce sera le Labyrinthe, mais fermé sur lui-même, toute issue murée, c'est-à-dire l'heure où le voyageur désespère de son voyage.

L'enfer est une prison étroite, sombre et fétide : nous voilà au plus épais de ces murailles qui, depuis Clongowes, se sont closes sur l'écolier, et la complaisance que met le prédicateur à décrire *l'exiguïté de ce cachot* où les âmes se consument *dans les ténèbres*, parmi les flammes, les blasphèmes et les sarcasmes des démons, témoigne assez de sa fonction pénitentiaire. La géhenne, suite évidente du péché : tel sera l'argument du prône. Mais de quel péché ? *Nous ne saurions le dire. Les théologiens supposent que ce fut le péché d'orgueil, la pensée coupable conçue en un instant :* non serviam — *je ne servirai point.* Devise de Prométhée, de Lucifer et de ses anges, d'Adam désobéissant au créateur, de Dédale contrevenant aux ordres de Minos, d'Icare bravant les conseils paternels, de Thésée refusant son rôle de victime, d'Ulysse défiant Poséidon, de Télémaque insultant les princes, de saint Étienne abjurant le judaïsme... tous les héros communient ici en une même négation. Or, ce *non serviam*, tel est aussi le cri qui va conclure *Dedalus*, résonner dans *Ulysse* et donner à la vie comme à l'œuvre de Joyce son sens absolu

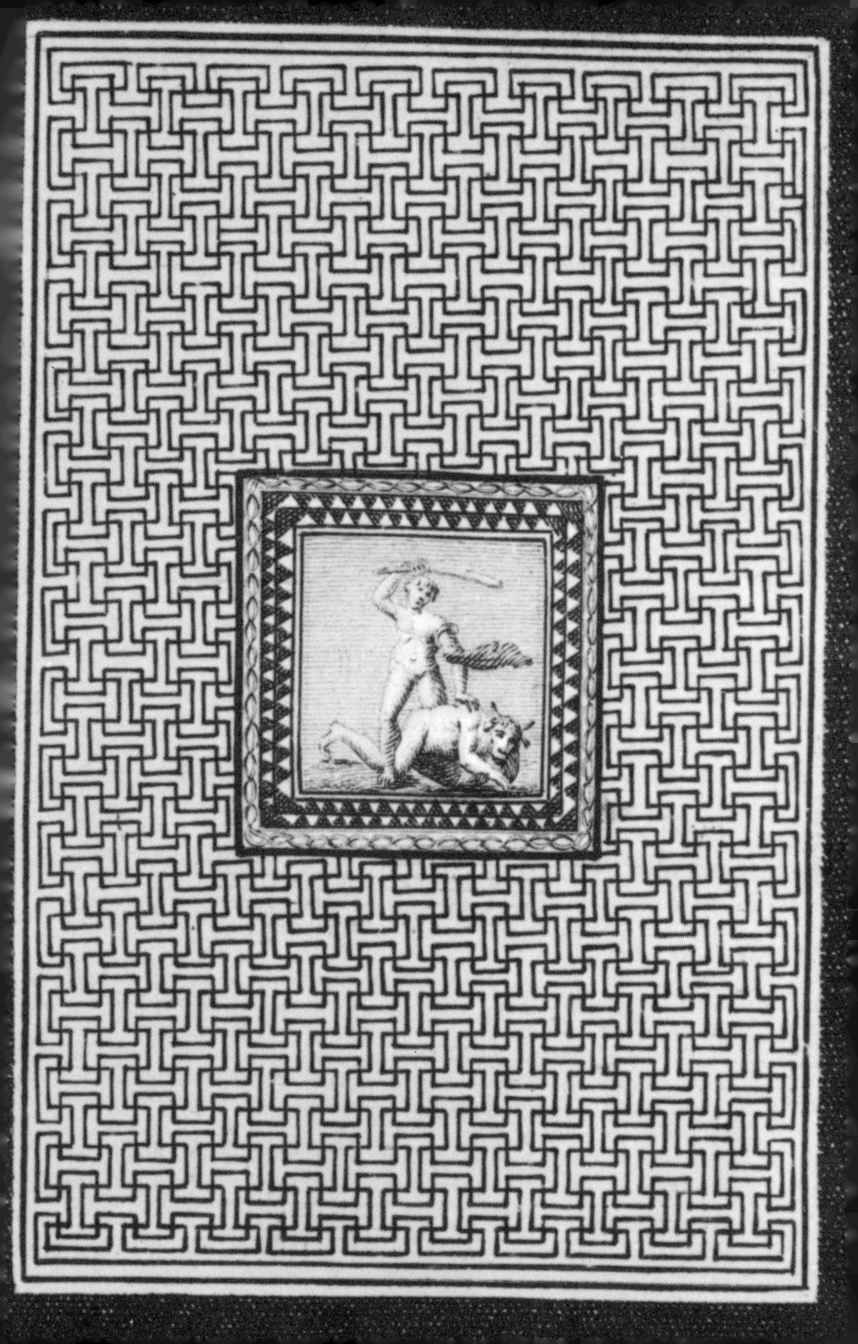

de révolte. En cet enfer, nous atteignons donc au cœur du livre, au cœur du Labyrinthe, au lieu où s'organisent et se résolvent les épreuves. C'est par la peur et le combat, comme Thésée devant le monstre, que Stephen découvrira sa vérité ; le salut, pour lui, naîtra de l'excès même : *L'horreur de cette prison étroite et sombre s'accroît de son effroyable puanteur. Toutes les immondices du monde, tout le fumier, toute la fange du monde s'écouleront là, nous dit-on, comme en un vaste cloaque fumant, lorsque la terrible conflagration du dernier jour aura purgé le monde... Et ce feu terrible ne se contentera pas d'atteindre les corps des damnés extérieurement, mais toute âme perdue sera en elle-même un enfer, les flammes déchaînées faisant rage jusque dans ses viscères... Chacun des sens de la chair est torturé, et, avec lui, chaque faculté de l'esprit : les yeux par l'obscurité absolue et impénétrable ; le nez par les odeurs délétères ; les oreilles par les cris, les hurlements, les imprécations ; le goût par la matière immonde, par la lèpre et la pourriture, par la fange innommable et suffocante ; le toucher par les aiguillons et les clous rougis, par de cruelles langues de feu. Ainsi, au moyen de différentes tortures des sens, l'âme immortelle est éternellement torturée en son essence même, parmi des lieues et des lieues de flammes rouges, attisées dans l'abîme par la majesté du Dieu Tout-Puissant...*

Le mythe enseigne que Dédale ne s'échappa du Labyrinthe qu'en s'envolant, suivi d'Icare, les ailes collées de cire. On sait la fin : pour s'élancer trop impétueusement vers le soleil, ce beau fils perd ses ailes, s'abîme au sein des mers. Châtiment des téméraires qui prétendent à la clarté sans observer la vertu de prudence : né d'une esclave de Minos, élevé dans la prison, Icare n'était point destiné au soleil de la connaissance. Sa nature ambitieuse, promise à l'échec, paraît en d'autres textes qui le montrent s'enfuyant de Crête sur un bateau et se noyant, ou précipité du flanc de la montagne qu'il voulait orgueilleusement gravir... L'histoire est claire : le fils subit ici la peine de son père et représente, pour ainsi dire, le prolongement de sa faute. Mais si Stephen partage avec Dédale cette aspiration coupable à la liberté, il saura éviter le destin d'Icare en imposant à ses élans les préceptes de la sagesse : *le silence, l'exil et la ruse.*

Il reste que Dédale eût pu prier, fléchir les dieux, et préféra ne devoir son salut qu'à lui seul. Dans l'histoire de la connaissance, il figure le premier rebelle qui à la grâce divine ait opposé l'industrie humaine, et d'Ulysse à Faust sa lignée devait être nombreuse. Loin de l'Église, semblablement Stephen va s'aviser que son propre sort repose entre ses mains. Et, par exemple, que sa captivité ne tient nullement à quelque crime originel, mais aux mensonges séculaires de l'oppression. De l'école au confessionnal, de la famille à la patrie, une sournoise autorité le contraignait à ces cachots qu'il faut des ailes pour franchir : *L'âme naît*, déclare-t-il à Davin et, par Davin, à toute l'Irlande, *dans ces moments dont je t'ai parlé. Sa naissance est obscure et lente, plus mystérieuse que celle du corps. Quand une âme naît dans ce pays-ci, elle se trouve saisie dans des filets qui empêchent son essor*. Pour banale qu'elle semble, l'image est de prix : ces murs de citadelle qui mesuraient tantôt *quatre millions de milles d'épaisseur* se réduisent déjà à la minceur de rets, et l'avenir qui parlait dans le langage des captifs s'inscrit maintenant sous le symbole de l'oiseau. *Je veux essayer de m'évader de ces filets*. La fin du livre montrera l'artiste rompant, une à une, les entraves, *les puissantes et pompeuses appellations* qui formaient autant d'emblèmes du Labyrinthe : il quittera l'Église, quittera le collège et les siens, fuira l'Irlande pour aller, comme l'antique artisan, *chercher la réalité de l'expérience et façonner dans la forge de* son *âme la conscience incréée de* sa *race*.

De tous ces reniements, le plus douloureux devait être celui de la mère. Estompé dans *Dedalus*, le drame s'étale pleinement dans *Stephen le Héros*, et tout au long d'*Ulysse* gémira le fantôme à qui manque la prière de l'apostat. En rejetant l'*amor matris* dont il dira qu'il est *peut-être la seule chose vraie de cette vie*, Stephen rejette aussi la loi de chair et de péché dont se prévaut la tyrannie chrétienne. Le refus de prier pour la mourante le confirme donc dans sa liberté comme dans sa solitude. *Vous, Dedalus, vous êtes un être antisocial — Tu es un homme terrible, Stevie, toujours tout seul — Dedalus, trancha l'Auditeur, tu es un brave garçon, mais il te reste à apprendre la dignité de l'altruisme et les responsabilités de l'individu humain*. Mais les imbéciles peuvent moraliser, Stephen sait que sa vérité attend d'extrêmes sacrifices, qu'en immolant sa mère il paie le plus lourd tribut de son histoire, et que rien désormais, *aucune faveur, aucun revers de fortune, aucun des liens créés par l'affinité, le sentiment ou la tradition ne l'empêcheraient de déchiffrer*, *comme il l'entendait, l'énigme de sa propre position.* L'abnégation va même le conduire à rompre l'idylle charmante et tourmentée qu'il connaissait avec Emma Clery et dont *Stephen le Héros* nous peint la naissance. Ainsi Joyce entre en son œuvre comme on entre dans les ordres, en répudiant toutes attaches mondaines ; mais son seul dieu sera l'art, sa seule morale l'indépendance. Insensiblement le jeune homme a choisi le rôle qu'il tiendra jusqu'à la fin d'*Ulysse* : celui de Télémaque, le héros qui refuse la guerre des autres pour mener seul sa quête. « La nature n'a donné ni serviteur ni maître, je ne veux ni donner ni recevoir de lois », disait Diderot. Et Stephen : *tu ne seras pas le maître des autres, ni leur esclave.*

Ainsi la révolte introduit à la liberté. Cette sortie définitive du Labyrinthe est consacrée dans la scène où, devant la mer, devant l'immensité du ciel et de l'eau retrouvée, le poète dépouille « le vieil homme » et renaît au *cœur sauvage de la vie.* Et comme à Thésée la radieuse Ariane, une vierge apparaît près des flots, très semblable à ces oiseaux vers lesquels, *depuis des siècles, les hommes levaient ainsi les yeux.* Joyce aura beau jeu de railler, dans *Ulysse*, cet éveil de la beauté mortelle — *Tu pris ton vol. Vers quoi ? Newhaven-Dieppe passager de troisième classe. Paris et retour. Pluvier guignard* — c'est pourtant en cet instant de communion avec la terre entière que l'artiste entrevoit sa vocation : *Sa gorge était meurtrie par le désir de crier, de lancer le cri du faucon ou de l'aigle planant, d'annoncer par un cri perçant sa délivrance aux vents du large. C'était là l'appel que la vie adressait à son âme et non pas la monotone et grossière voix du monde des devoirs et des désespérances, non pas cette voix inhumaine qui le conviait naguère au morne culte de l'autel... Son âme resurgissait du sépulcre de l'adolescence, en rejetant ses enveloppes mortuaires. Oui. Oui. Oui. Il allait créer fièrement, dans la liberté et la force de son âme, comme le grand artisan dont il portait le nom, une chose vivante, neuve, et capable d'essor, belle, impalpable, impérissable... Une nostalgie de voyage brûlait ses pieds prêts à courir aux confins de la terre. Son cœur semblait crier : en avant ! en avant ! Le soir s'épaissirait sur la mer, la nuit descendrait vers les plaines, l'aube s'allumerait devant le voyageur et lui montrerait des champs, des monts, des visages inconnus... Où donc ?*

James Joyce
Gentilini

Tous les jours rencontrent leur fin.
Ulysse

L'ODYSSÉE

Vous voyez, affolés de lumière, ces blés d'un or violent, frangés de ciel. A l'horizon, des collines violettes préparent le soir, la fraîcheur; mais ici, dévorée de soif et comme saisie dans un immense embrasement solaire, la terre flambe, et midi aveugle tant qu'on voit à peine un moissonneur marcher parmi les champs de feu. *Ce pourrait être un hymne ancien en l'honneur de Déméter*, et devant cette toile que Van Gogh peignit à Saint-Rémy en 1890, des cuistres parleraient d'économie, d'agriculture... Qu'en dit Van Gogh lui-même ? « Je vis alors dans ce faucheur — vague figure qui lutte comme un diable en pleine chaleur pour venir à bout de sa besogne — j'y vis alors l'image de la mort, dans ce sens que l'humanité serait le blé qu'on fauche. » Tout grand art signifie plus qu'il n'exprime, et le génie n'est d'abord que l'aptitude à percevoir dans le réel ces symboles dont le nombre et la profondeur confondent l'imagination ; ce que Van Gogh voit en ses blés, Novalis le voit dans l'histoire : « Tout n'est-il pas plein de signification, de symétrie, d'allusions et de correspondances singulières ? »

Aucun écrivain ne devait, à notre époque, pousser plus loin que Joyce l'art de l'analogie. *Dedalus* conciliait déjà magnifiquement l'existence et le mythe, l'actuel et le passé : en décrivant, sous une destinée particulière, l'évolution d'un monde de plus en plus complexe, le narrateur opérait à la manière de l'histoire : progressivement, autour du héros, du symbole initial, d'autres symboles, d'autres héros se rassemblaient, en sorte que l'intrigue, multipliée, devenait un foyer d'évocations, de métamorphoses. Avec *Ulysse*, cette conception s'étend et se précise : la littérature acquiert, comme la science, le pouvoir d'ordonner l'univers, d'en résoudre les aspects, les contradictions, en une synthèse grandiose, définitive. Caractères, décors, durée, situations, tout ici va prendre une valeur allégorique, se réfléchir, se correspondre, suivant les lois de la nature même. Énigme, *Ulysse* invitera le lecteur à démêler sans cesse la cause de l'effet, la vérité de l'apparence—tentative audacieuse qui soumet le roman à la révolution que Freud imposait en psychologie, Marx en économie, Einstein en physique, et ce n'est pas par hasard que l'œuvre s'étagera sur les trois plans de l'individu, de la société et du cosmos, en montrant à la fois le rôle de l'inconscient, les conflits du modernisme et la relativité des phénomènes. Voilà donc proposée la somme de ce temps : pas un livre n'allait connaître fortune plus éclatante.

On a vu que Joyce avait d'abord songé à faire de cette histoire la dernière de *Dubliners*. Son climat, son humour, son réalisme la désignaient pour corriger le sens sinistre que *Les Morts* apportait à l'ouvrage. De 1914 à 1921, dans les trois villes, Trieste - Zurich - Paris, où l'écrivain devrait aux subsides de ses amis, notamment Miss Harriet Weaver, de poursuivre sa tâche, la nouvelle allait grossir jusqu'à ces 800 pages dont les premières verraient le jour en 1918, à New York, dans *The Little Review*. Miracle! autant Joyce avait dû lutter pour imposer ses écrits antérieurs, autant *Ulysse*, à peine terminé, lui valait une gloire scandaleuse. Si scandaleuse même qu'en 1920, sur plainte d'un Mr Sumner, agent d'une ligue puritaine, les tribunaux condamnaient Margaret Anderson et Jane Heap à 100 dollars d'amende pour avoir ouvert leur revue à un texte « si obscène, lubrique, lascif, ignoble, indécent et répugnant qu'une description détaillée dudit offenserait la Cour ». Honni par la vertu bien connue des Anglo-Saxons, c'est à Paris qu'*Ulysse* poursuivrait sa carrière, fortifié de l'enthousiasme des admirateurs : Ezra Pound, Valery Larbaud, Ludmila Savitzky, traductrice de *Dedalus*, Mrs Bradley, Adrienne Monnier, et Sylvia Beach qui devait, en février 1922, lancer superbement la première édition. Le monstre né, rien n'en pouvait empêcher la croissance : ni les Postes new-yorkaises qui en brûlaient 2 000 exemplaires, ni la douane de Folkestone qui en saisissait 499 ; déjà les critiques, les traducteurs étaient à l'œuvre :

Shakespeare and Co :
Joyce et Sylvia Beach

en 1929 paraissait chez Adrienne Monnier, par les soins d'Auguste Morel, Stuart Gilbert et Valery Larbaud, une version française dont on ne dira jamais assez l'excellence ; les contrefaçons se répandaient en Amérique, comme celle du fameux Roth qu'il fallut une pétition mondiale pour faire cesser ; et voici que les témoignages, les études, les exégèses de T. S. Eliot, Herbert Gorman, Edwin Muir, Edmund Wilson, Foster Damon, Frank Budgen, Stuart Gilbert, étendaient à tout le livre la sentence qu'Arnold Bennett portait sur le dernier chapitre : « Je n'ai jamais rien lu qui le surpasse, et je doute si j'ai jamais lu quoi que ce soit qui l'égale ».

Plus qu'à *Faust*, en effet, conviendrait à *Ulysse* l'épithète « incommensurable ». L'histoire des lettres rencontre là une hydre absolue, qui participe du poème, du drame, de l'essai, de la farce, du récit, du reportage comme du sermon, de l'opéra, de l'apologue ou du traité. Cent styles s'y mêlent, s'y répondent, de l'élégiaque à l'argotique, du juridique au pastoral, du religieux à l'érotique, du scientifique au démentiel, comme appelés par une perpétuelle magie.

— Je voudrais donner un livre à ma petite nièce pour Noël.
*— Pourquoi pas notre nouvelle version d'*Ulysse *pour enfants ?*

Pour exemples, le seul chapitre VII, modèle de l'éloquence journalistique, ne comprend pas moins de 96 figures de rhétorique : métonymie, chiasme, métaphore, diasyrme, anaphore, synecdoque, asyndète, épiphore, anacoluthe, hyperbate... — le chapitre XI reproduit, dans la demeure des Sirènes, une fugue *per canonem* comportant trilles, rondo, staccato, presto, glissando, martellato, portamento, pizzicati — le chapitre XIV, pour suggérer la croissance d'un fœtus *ès ventre la femme*, reproduit en une suite de pastiches l'évolution de la langue anglaise, du bas-saxon au slang américain, à travers Chaucer, Mandeville, Malory, Bunyan, Pepys, Milton, Defoe, Swift, Steele, Addison, Sterne, Gibbon, Goldsmith, Lamb, De Quincey, Macaulay, Dickens, Newman, Pater, Ruskin, Carlyle — et le finale, monologue ensommeillé de Pénélope, étire une phrase de 40 000 mots sans ponctuation ni pause. Tant d'artifices peuvent irriter ; ni le désordre ni le hasard n'y trouvent pourtant la moindre place. Il n'est pas une image, pas un accord, pas une nuance de cette composition qui ne réponde à des règles précises, des rapports bien calculés, de très savantes intentions.

Cette matière verbale trouve dans le monologue intérieur un premier principe d'organisation. *Le meilleur journal, de beaucoup, pour les petites annonces. Prend en province maintenant. Cuisinière bonne à tout faire, exc. cuisine, avec femme de chambre. On demande un homme très actif pour débit de boissons. Jeune fille hon. (Catho.) désire situation dans fruiterie ou charcuterie. C'est James Carlisle qui l'a lancé. Six et demi pour cent de dividende... A maintenant annexé* Le Chasseur Irlandais. *Lady Mountcashel tout à fait remise de ses couches a chassé à courre avec l'équipage du Ward Union hier à Rathoath. Renard immangeable. Ils chassent pour le pot aussi. La peur injecte au lièvre des jus ça le rend assez tendre pour eux. Monte à califourchon. Autant d'assiette qu'un homme. Chasseresse émérite. Pas de selle de dame ni de coussinet pour elle, vous voulez rire. Première au rendez-vous de chasse, idem à l'hallali. Solides comme des juments poulinières certaines de ces femmes de cheval. Elles plastronnent dans les manèges. Vous sifflent un verre de brandy qu'on n'a pas le temps de dire ouf. Celle du Grosvenor ce matin. Hop ! dans le cab : vli, vlan !*

Libéré des syntaxes traditionnelles, apte à traduire la vie

*— Un exemplaire d'*Ulysse *!*
L'idiot ne sait pas que c'est permis, maintenant.

the stairhead, bearing a bowl of lath
on which a mirror and a razor la
crossed. A yellow dressinggown, ungirdle
was sustained gently behind him by
mild morning air. He held the bow
aloft and intoned:
— Introibo ad altare Dei

Halted, he peered down the dar
winding stairs and called out coarsely
— Come up, Kinch! Come up, you
fearful jesuit!
Solemnly he came forward an
mounted the round gunrest. He face
about and blessed gravely thrice the tow
the surrounding land and the awaking
mountains. Then, catching sight of
Stephen Dedalus, he bent towards
him and made rapid crosses in the
air, gurgling in his throat and shakin
his head. Stephen Dedalus, displeased
and sleepy, leaned his arms on the
top of the staircase and looked coldl
at the shaking gurgling face that
blessed him, equine in its length
and at the light untonsured hair
paired and hued like pale oak.
Buck Mulligan peeped an
instant under the mirror and then
covered the bowl smartly
— Back to barracks! he said sternly
He added in a preacher's tone:
— For this, O dearly beloved, is the genuine
christine: body and soul and blood
and ouns. Slow music, please. Shut
your eyes, gents. One moment. A
little trouble about those white
corpuscles. Silence, all.

mobile et secrète du moi, à traquer jusqu'aux ténèbres « l'esprit du souterrain », le monologue procédait d'un siècle qui avait vu psychologues, sociologues, ethnologues et mythologues explorer un univers irrationnel, pré-logique, onirique, non-euclidien, dont les travaux de James, de Bergson, de Janet, de Freud, de Jung, de Frazer, de Lévy-Bruhl et de tant d'autres spécifiaient les propriétés. Mais de cet univers il restait à former une image qui montrât, sous sa confusion, la cohérence de ses lois. La nouveauté de la technique joycienne tenait d'abord à une rigueur toute scientifique. Fondé sur l'association des idées et des sentiments, le monologue bénéficiait, dans *Ulysse*, d'un autre apport : celui des obsessions, des angoisses, des tendances névrotiques inventoriées par la psychanalyse. Ainsi tous les éléments du paysage mental, leurs conflits, leurs nuances, leurs variations indéfinies s'organisaient autour de thèmes enracinés dans l'inconscient : *il n'y a rien de tel qu'un baiser long et chaud qui vous coule jusqu'à l'âme on en est comme paralysée et je déteste ce machin la confession quand j'allais trouver le Père Corrigan il m'a touchée mon Père et il n'y avait pas de mal à ça où et j'ai dit sur le bord du canal comme une sotte mais où sur votre personne ma fille sur la jambe par derrière était-ce haut oui c'était assez haut était-ce où vous vous asseyez oui grand dieu est-ce qu'il n'aurait pas eu plus tôt fait de dire tout de suite derrière et qu'est-ce que tout ça venait faire dans l'affaire et avez vous j'oublie quel mot il a dit non mon Père et je pense toujours au véritable père quel besoin avait celui-là de savoir quand j'avais déjà confessé ça à Dieu il avait une jolie main grasse la paume toujours moite ça ne me serait pas désagréable de la sentir et à lui non plus je crois...*

Le monologue, qui ne servait chez les prédécesseurs qu'à des fins stylistiques, apparaît donc à Joyce comme la trame ininterrompue de l'existence. C'est à ses rythmes, à ses images qu'incombera le soin de différencier les personnages, selon leurs tics, leurs soucis, leurs projets familiers. Le sexe pour Molly, l'inquiétude pour Stephen, l'onction pour le Père Conmee vont définir autant de grammaires de la pensée, qui s'accorderont sur les règles et différeront sur leurs emplois. Ainsi s'harmonisent l'un et le divers ; si de ce verbe *Ulysse* tire sa substance, son unité, les caractères en recevront, eux, leurs distinctions irréductibles : chacun devient ici son propre labyrinthe. A l'opposé des romans classiques où l'action observe une échelle fixe de valeurs,

*Première page du manuscrit d'*Ulysse.

Slaughter of innocents. Eat, drink and be merry. Then casual words full after. Cheese digests all but itself. Mighty cheese.

— Have you a cheese sandwich?

— Yes, sir.

Like a few olives too if they had them. Good glass of burgundy; take away that. Lubricate. A cool salad. Tom Kernan can dress. Take one Spanish onion. God made food, the devil the cooks. Devilled crab.

— Wife well?

— Quite well, thanks... A cheese sandwich, then. Gorgonzola, have you?

— Yes, sir.

Nosey Flynn sipped his grog.

— Doing any singing those times?

Look at his mouth. Could whistle in his own ear. Flap ears to match. Music. Knows as much about it as my coachman. Still better tell him. Does no harm.

— She's engaged for a big tour end of this month. You may have heard perhaps.

— No. O, that's the style. Who's getting it up?

The curate served.

— How much is that?

— Seven d., sir... Thank you, sir.

Mr Bloom cut his sandwich into slender strips.

— Mustard, sir?

— Thank you.

He studded under each lifted strip yellow blobs.

— Getting it up? he said. Well, it's like a company idea, you see. Part shares and part profits.

— Ay, now I remember, Nosey Flynn said, putting his hand in his pocket to scratch his groin. Who is this was telling me? Isn't Blazes Boylan mixed up in it?

A warm shock of air heat of mustard hauched on Mr Bloom heart. He raised his eyes and met the stare of a bilious clock. Two. Pub clock five minutes fast. Time going on. Hands moving. Two. Not yet.

His midriff yearned then upward, sank within him, yearned more longly, longingly.

Wine.

He smellsipped the cordial juice and, bidding his throat strongly to speed it, set his wineglass delicately down.

Ulysse se morcellera en une myriade de systèmes temporels et psychologiques. L'insignifiance de ses situations n'a donc rien qui doive surpendre : l'important, pour Joyce, ce sera moins le monde extérieur que la façon dont les êtres l'interprètent et réagissent. Voilà pourquoi, comme chez Proust, la durée subira les plus curieuses distorsions, le même fait prenant pour l'un des proportions himalayennes et se réduisant pour l'autre à celles d'une puce, et par exemple le naufrage d'un navire américain se trouvant expédié en une ligne, alors qu'une tournée des bordels exigera presque deux cents pages.

Si subjectif soit-il, le monologue se règle pourtant sur les lieux et les heures. Le temps le jalonne de ses sonneries, de ses horloges, de ses cadences mécaniques : *Sllt. Le cylindre inférieur de la première machine vient de projeter son plateau mobile avec sllt la première fournée de feuilles pliées format main. Sllt. Presque humaine dans sa manière sllt de se rappeler à votre souvenir. Fait exactement tout son possible pour parler. Cette porte aussi qui sllt pour demander qu'on la ferme. Chaque chose parle à sa façon. Sllt.* Mais si le monde s'impose sans cesse à l'attention, dérange nos pensées, en rectifie le cours, chaque événement, rencontrant nos tendances profondes, subit la même déformation. Vous errez affamé en quête d'un restaurant et voici passer un peloton de gendarmes ; voyez comment ces phénomènes étrangers vont mutuellement s'influencer, se pénétrer, se confondre : *Pas de l'oie. Faces congestionnées par la boustifaille, casques suants, ils tapotent leurs bâtons. Ils sortent de prendre une bonne charge de soupe grasse à en faire éclater leur ceinturon. Les agents sont de braves gens qui ne s'baladent pas tout le temps. Ils se partagèrent en petits paquets et après saluts s'éparpillèrent vers leurs postes. A chacun son pâturage. Meilleur moment pour en attaquer un, tout de suite après le pudding. Un direct dans son dîner. Un nouveau détachement, en ordre dispersé, au pas de route, tourna les grilles de Trinity College, allant relayer. Le cap sur la mangeoire*, etc.

Cette double impulsion, ce va-et-vient des circonstances à la pensée gouverne aussi bien les progrès de l'intrigue que les consciences individuelles. De même qu'alternent, de chapitre en chapitre, la narration et la méditation, les incidents publics et les affaires privées, les idées générales et les rêveries particulières, de même les soliloques oscillent perpétuellement entre deux pôles : le dedans, le dehors, comme il ressort de ce passage où Bloom se soulage en spéculant sur la littérature : *Bien tassé sur le siège il déplia son*

*Une page des épreuves d'*Ulysse *corrigée de la main de Joyce.*

journal, et tourna les pages sur ses genoux nus. Du neuf et du coulant. Rien ne presse. Retenons un peu. Notre nouvelle primée. Le coup de maître de Matcham. *Par M. Philip Beaufoy, Cercle des Théâtromanes, Londres. L'auteur a reçu le prix d'une guinée par colonne. Trois et demie. Trois livres trois. Trois livres treize shillings six. Paisible il se mit à lire, en se retenant, la première colonne, puis cédant et résistant, entreprit la seconde. A mi-colonne cessant toute résistance, il laissa ses entrailles se soulager à leur aise pendant qu'il lisait, lisait sans hâte. Cette légère constipation d'hier tout à fait finie. Pas trop gros j'espère, pour ne pas ramener les hémorroïdes. Non, juste ce qu'il faut. Ça y est. Constipé, une tablette de cascara sagrada. La vie pourrait être ainsi. Ça ne l'agitait ni ne l'émotionnait, mais c'était quelque chose d'adroit et de bien amené. En ce moment on imprime n'importe quoi. Saison des remplissages. Il continuait à lire au-dessus de sa propre odeur qui montait. Adroit certainement.* Matcham pense fréquemment au coup de maître qui lui gagna cette rieuse magicienne qui maintenant. *Commencement est moral la fin aussi.*

Expression directe de l'existence, le monologue offre un moyen de capter, d'emprisonner le temps, de « poser hors de la conscience, comme un objet, un moment humain dans sa totalité » (Jean Cazaux). La théorie de l'épiphanie trouve ici son épanouissement : s'il s'agissait, dans *Dubliners*, d'isoler tel accident de son contexte, il s'agit maintenant d'en approfondir les éléments. Or le moindre instant révèle une telle complexité que le langage s'épuise à le saisir. La minute qui voit Bloom se satisfaire aux latrines le voit aussi parcourir un minable libelle, en calculer le prix, en critiquer le style, en envier l'auteur, évoquer la constipation, son traitement, et associer des mots, des impressions qui le poursuivront au cours de sa journée. Minuscule et grandiose, la vie intérieure est à l'image constante de ce journal où voisinent les *Notes du Jardinier. La Semaine Comique. Les Coq-à-l'âne hebdomadaires de Phil Blake. La Page de l'Oncle Toby pour les tout-petits. La Petite Correspondance, naïfs ruraux. Cher Monsieur le Directeur, quel est le meilleur remède contre les vents. J'aimerais cette rubrique. On apprend des tas de choses à instruire les autres. P. D. P. Page Des Potins. Plutôt Des Photos. Baigneurs bien galbés sur sable d'or. Le plus gros ballon du monde. Deux sœurs se marient le même jour. Deux jeunes mariés qui se rient franchement au nez. Cuprani aussi, l'imprimeur.*

A cette réalité qui se joue sur plusieurs niveaux répond

donc un discours contrapuntique, dont les voix s'échelonnent du passé au futur, du tangible à l'imaginaire. Mais, par là, le procédé s'élève à la poésie même : en embrassant l'immense diversité des phénomènes, il fait de tout personnage un abrégé de la création. Ainsi les réflexions de Bloom, de Molly, de Stephen procèdent non seulement de leurs histoires personnelles, mais des grandes forces universelles, de la mer : *A travers tous les sables du monde, suivie vers l'ouest par l'épée flamboyante du soleil, elle trekke son chemin vers les terres du soir. Elle trimarde, schleppe, traîne, tire, trascine sa charge. Une marée qui rampe à l'ouest tirée par la lune la suit. Marée en elle, avec des myriades d'îles, sang qui n'est pas le mien,* oinopa ponton, *une mer sombre comme le vin. Voici la servante de la lune.* — de la terre : *Stephen Dedalus observait à travers les toiles d'araignées de la fenêtre les doigts du lapidaire qui éprouvaient le métal d'une chaîne oxydée. Couche de poussière sur les vitres, sur les planches de la devanture. Doigts gris de poussière avec des ongles de rapace. Poussière somnolant sur les torsades de bronze et d'argent, les losanges de cinabre, les rubis, pierres lépreuses et rouge-vin. Tout cela est né dans la nuit grouillante de la terre, étincelles congelées, feux maléfiques des ténèbres. Là des archanges déchus jetèrent les étoiles de leurs fronts.* — du feu : *Le verre flamboie. C'est ça que ce savant comment s'appelait-il et sa lentille qui incendiait. Et quand la lande prend feu. Ça ne peut être les allumettes des touristes. Qu'est-ce que c'est ? Peut-être les tiges sèches qui frottent l'une contre l'autre dans le vent au soleil. Ou des bouteilles brisées dans les broussailles qui font comme un miroir ardent sous l'action du soleil. Archimède. J'y suis !* — de l'air : *Il doit y avoir des myriades de petites particules en mouvement dans l'atmosphère. Oui, c'est ça. Puisque ces îles parfumées, les Molluques, ces Cinghalais ce matin, on les sent à des lieues. Je vais vous dire ce que c'est. Comme un voile tout fin, tout fin ou un réseau qu'elles ont sur la peau, ténu comment appelle-t-on ça des fils de la Vierge et ça se tisse en elles et ça sort tout le temps fin comme tout, impalpable comme un arc-en-ciel...* A la fin, le monologue passe toute psychologie et rejoint, comme dit Gaston Bachelard, la rêverie des éléments.

A chaque instant s'équilibrent ainsi la permanence de l'être et la mobilité du monde. Ce dualisme, qui tourmentait déjà les présocratiques, s'exprime dans *Ulysse* par un jeu de thèmes et variations régissant lieux, circonstances, personnes.

Les associations formées au hasard de l'expérience n'échappent guère à l'action de la durée : les unes se disloquent, les autres se recomposent ; mais il en est qui perdurent et constituent des motifs stables, obsessionnels, qui reviendront de chapitre en chapitre, comme le refrain même du temps.

De bon matin, Stephen quitte le domicile qu'il partage avec l'étudiant Mulligan et un visiteur mal venu, l'Anglais Haines. *Avez-vous la clef ?* lui demande-t-on. *Elle est dans la serrure.* Quelle serrure ? Celle de l'œuvre, répondait Valery Larbaud. De là sans doute l'insistance du réclamateur : *Avez-vous pris la clef ?* répète Mulligan. Et Stephen de songer : *Il veut cette clef. Elle est à moi.* Un peu plus tard, pourtant, comme l'autre récidive : *Donnez-moi la clef, Kinch, pour tenir ma chemise à plat,* Dedalus cède, et le voilà comme Télémaque évincé par les princes de sa propre maison. Au même instant, à l'autre pôle de la cité, Léopold Bloom oublie ses propres clefs dans un pantalon. Ces deux emblèmes vont curieusement se rejoindre dans l'annonce que notre homme, courtier en publicité, propose à *L'Homme libre* pour le compte d'Alexander Cleys, *négociant en thé, vins et spiritueux* : deux clefs entrecroisées symbolisant les armes du Parlement de Man ou, selon Harry Levin, les deux principes, les deux acteurs essentiels de cette épopée. Et jusqu'au soir, ces clefs reviendront, à tout propos, dans les songes de Stephen et les calculs de Léopold, pour poser enfin, vers une heure du matin, quand celui-ci invitera celui-là à terminer la nuit chez lui, un redoutable dilemme : *Quelles étaient donc les alternatives offertes aux membres de ce couple démuni de clefs, l'un par inadvertance, l'autre par préméditation ? Entrer ou ne pas entrer. Frapper ou ne pas frapper.*

De bonne heure également, il sera question d'un lit. Un lit que Marion Bloom a reçu pour dot de son vieux père, Brian Tweedy, major à Gibraltar, et dans lequel elle se prélasse en attendant le petit déjeuner. Les tartines arriveront-elles ? La paresseuse fait *cliqueter les cuivres en se soulevant avec vivacité.* Et Bloom, homme pratique, de réfléchir : *Les anneaux de cuivre desserrés cliquetaient. Il faut vraiment que je les fasse réparer... Qu'est-ce que son père a pu payer cela ? Vieux modèle... Acheté à la vente du gouverneur.* Or, ce lit, ou son frère, nous le trouvons à la même heure dans les réminiscences lugubres de Stephen : Mme Dedalus y agonise sans prière, pleurant sur *l'amer mystère de l'amour.* Nous le retrouverons l'après-midi, meuble historique, dans la bibliothèque où Stephen prouve l'avarice de Shakespeare en arguant du grabat qu'il laissait, pour tout legs, à Anne Hathaway. *L'antiquité parle de lits célèbres*, ajoute un interlocuteur, par exemple de celui qu'Ulysse avait fabriqué et décoré lui-même pour Pénélope. Mais de cette couche symbolique Joyce ne nous tient pas quittes : ce sera celle où Boylan culbutera Marion, celle où Mme Purefoy enfantera dans la douleur, celle où Bella Cohen accueillera ses clients,

celle dont les cuivres tinteront éperdument dans le lupanar pour rappeler à Léo son infortune conjugale, celle enfin que ledit Léo regagnera pour y trouver en creux la trace du rival...

Les bovidés aussi feront tôt leur apparition. Vers 10 heures, Mr Deasy soumettra à Stephen un article sur la maladie du pied et du museau. On en reparlera au journal à midi, à la bibliothèque après déjeuner, où Mulligan surnommera Stephen : *le barde bienfaiteur du bœuf.* On en débattra devant Bloom chez les Cyclopes, à la clinique où, dans l'ivresse des carabins, ces bœufs deviendront ceux du Soleil, que les compagnons d'Ulysse mettaient en pièces. De proche en proche, le thème prendra la valeur d'un sacrifice mithraïste ; et le malheureux bœuf, promu taureau, dont la femelle sera cette *Madeleine la vache* de la chanson, évoquera la parenté de la Crète et de l'Eire : *ce même taureau qui fut dépêché dans notre île par le fermier Nicolas, le plus honnête éleveur de toute la chrétienté, avec un anneau d'émeraude dans le nez... et jamais taureau plus replet et plus majestueux, dit-il, n'a conchié le trèfle.* Mais qui dit taureau dit phallus, et de l'épizootie nous passerons donc à la fornication : tour à tour, le bouillant Boylan, les soldats Carr et Compton, Bello, mâle réplique de Bella, les maints amants de Molly Bloom incarneront l'animal de beau pied et de doux museau qui *avait cornes d'abondance, un pelage d'or, et une suave haleine sortait en fumant de ses naseaux, si bien que les femmes de notre île laissant là boules de pâte et rouleaux à pâtisserie lui firent escorte en suspendant à sa pro-Eminence des chapelets de marguerites.*

On ne saurait dénombrer les leitmotive qui tissent ainsi entre épisodes, personnages et symboles ces rapports que les lois physiques tissent entre les corps. La Coupe d'Ascot, gagnée par Prospectus, qui déroule à l'arrière-plan du livre comme une immense chevauchée, et que répètent le cortège du vice-roi et les coureurs du handicap ; la pomme de terre, talisman *contre peste et pellagre,* qui, de concert avec une savonnette, accomplit dans les poches de Bloom une odyssée restreinte ; les tintements des fiacres, carrosses, chariots, berlines, vélos, wagons et omnibus, accompagnant la fuite des heures ; l'arrivée imminente d'Alexander Dowie, *restaurateur de l'église de Sion,* annoncée à grand renfort de tracts ; les hommes-sandwiches de chez Hely's qui épèlent leurs lettres à tous les carrefours ; le chapeau, de Parnell jadis, aujourd'hui de J. H. Menton, ramassé obligeamment par Bloom, et dans lequel Bloom lui-même dissimule ses lettres confidentielles ; la tuberculose qui émigre sans trêve de J. J. O'Molloy à Mr Breen et aux loqueteux du quartier réservé ; le noyé retiré de l'eau à la barre de Dublin ; les mouettes, pigeons et autres volatiles qui sillonnent le ciel métropolitain ; le projet de lancer une nouvelle ligne de trams, sur quoi méditent et Bloom et le Père Conmee ; le marin unijambiste, retour de Chine et du Pérou, qui mendie *pour l'Angleterre, le foyer et les belles* ; les chansons irlandaises, ballades folkloriques, épigrammes, charades, bouts rimés, limericks, qui scandent le récit ; l'éloquence sous toutes ses formes : religieuse, politique, littéraire, judiciaire, académique ; *les jeunes filles de la grève*, longtemps célébrées avant d'apparaître en chair et en os ; le problème Shakespeare qui préoccupe une dizaine de curieux ; les les annonces, les réclames hétéroclites, depuis : *Qu'est la maison sans les pâtés Prunier ? Incomplète. Avec, c'est le paradis*, jusqu'à : *Thaumaturge, le remède universel pour les affections du rectum* ; les crimes célèbres : l'affaire Childs, le suicide de Virag ; les pubs où, du matin au soir, coulent le porter, le gin, le whisky, le bourgogne ; les mots *métempsychose, parallaxe* et autres qui obsèdent l'entendement de Bloom, comme les statues obsèdent sa lubricité ; les concerts, les opéras, le chant qui passionnent les Dublinois ; les phénomènes biologiques : accouchement, croissance, maladies, trépas, ou atmosphériques : nuages, vents, pluies, foudre, ou astronomiques : planètes, comètes, étoiles, galaxies ; les fantômes de Mme Dedalus, Rudolf Virag, Patrick Dignam, Rudy Bloom, Shakespeare lui-même, qui reparaissent pour un oui ou un non ; les événements politico-historiques qui nourrissent les conversations : guerre russo-japonaise, Boers, attentats du Sinn Fein, Home Rule, élections, scandales, affaires étrangères ; le latin liturgique, les sacrements, les croyances passées et présentes qui intriguent Léopold, inquiètent Stephen, indiffèrent Molly ; les services urbains : postes, banques, bains, musées, police, pompes funèbres, voirie ; les corps de métiers et les catégories de commerçants ; les pratiques superstitieuses, de la chiro- à la cartomancie ; les perversions sexuelles, littéraires ou appliquées ; les sports nationaux ; la nouvelle méthode de pendaison perfectionnée par le barbier Rumbold ; tous objets enfin encombrant rues, chambres, cafés, bureaux et ainsi

BLOOMSDAY

16th June, 1904

de suite : dessous féminins, chasses d'eau, chaussures, fruits, jarretelles, bouquets, ordures, gants, bouteilles, tableaux, machines, bretelles, véhicules, bijoux, médicaments, photos... ces mille thèmes qui composent l'univers d'*Ulysse* en figurent aussi les constantes : leur répétition procède autant du symbolisme de l'histoire que d'une philosophie de la durée.

Les innombrables analyses que devait préfacer, en 1922, la conférence de Larbaud ont fortement réduit l'étrangeté de ce livre. Son propos, comme chacun sait, est de présenter une parodie, une version moderne de l'*Odyssée*, adaptée à la situation de l'Irlande, aux découvertes scientifiques, aux problèmes raciaux, religieux, familiaux, esthétiques, bref, de proposer l'épopée d'Ulysse comme un mythe capable d'unifier le réel sous tous ses aspects. Des surprises que l'entreprise ménageait, bon nombre sont devenues familières. Nul ne s'étonne plus que l'action se déroule en un seul jour (le jeudi 16 juin 1904), en une seule ville (Dublin), ni que les personnages ressuscitent les héros d'Homère : Ulysse (Léopold Bloom), Pénélope (Marion Tweedy, femme Bloom), Télémaque (Stephen Dedalus), Calypso (Martha Clifford), Nestor (Mr Deasy), Nausicaa (Gertie Mac Dowell), Elpénor (Paddy Dignam), Polyphème (le Citoyen), Ajax (M'Intosh), Circé (Bella Cohen), Antinoüs (Dache Boylan), ou les divinités : Athéna (la laitière), Hermès (Buck Mulligan), Eole (le patron du journal), les Sirènes (Miss Douce et Miss Kennedy). Et là se révèle le prodigieux humour qui situe ce roman dans la lignée des *Gulliver* et *Tristram Shandy*, un humour d'autant plus insondable qu'il se veut secret : les allusions. Traduire Ulysse par un cocu, Pénélope par une coureuse, Circé par une maquerelle, Nausicaa par une boiteuse, ce sera marquer sournoisement que l'auteur n'est jamais dupe de ses initiatives, et réduire des exploits nobles par tradition à des situations de farce. Mais cette irrévérence porte aussi son verdict : en peignant sous un jour implacable la civilisation bourgeoise de ce temps, Joyce la montre incapable de soutenir sa grandeur passée, de renouveler ses valeurs et de survivre sans trahir ses idéaux. Marx tenait qu'un drame qui se répète tourne à la pitrerie : si l'*Odyssée* revit ici sous forme dégradée, c'est que notre monde n'a plus la force d'en enfanter une autre, et que sa culture est déjà condamnée à se repaître de ses reliefs.

Par leur enchaînement, les dix-huit chapitres de cette histoire s'écartent quelque peu du modèle homérique, Joyce se réservant la liberté de choisir et de disposer à sa guise les péripéties. Tels passages essentiels de l'*Odyssée*, comme l'épreuve de l'arc ou le massacre des prétendants, ne trouveront que de lointains échos chez Bloom, homme pacifique ; tels autres, comme les rochers flottants, auxquels Homère n'accorde que deux vers, prendront à Dublin des conséquences monumentales. La chronologie, elle aussi, subit des entorses, le séjour chez les Cyclopes suivant le chant des Sirènes, ou la descente aux enfers précédant la colère d'Eole, contrairement à l'itinéraire odysséen. Mais l'ordre importe moins que le mythe ; en gros, ce 16 juin 1904 résume les dix ans que le héros devait passer « sur les flots amers » : les premières heures en forment le Prélude, correspondant à la *Télémachie* — ses douze parties centrales concordent avec les aventures capitales d'Ulysse — son finale, le *Nostos*, reprend les trois divisions de l'ouverture. Ainsi construit sur cette parfaite symétrie, le livre évoque la trinité chrétienne, les trois degrés du beau selon saint Thomas, les trois âges de la vie, les trois voies de l'initiation, les trois aires d'un temple grec, d'une cathédrale ou d'une loge, le trivium médiéval, le triangle maçonnique, les trois mouvements d'une symphonie, les trois termes de la dialectique, toutes significations qui, centuplées, reparaîtront dans *Finnegans Wake*.

L'*Odyssée* commençait par une invocation aux Muses ; *Ulysse* commence comme la messe, par une invocation à Dieu. La profanation, drame secret de *Dubliners*, s'étale d'emblée en pleine bouffonnerie : c'est au facétieux Buck Mulligan, étudiant en médecine qui tout ensemble entretient Dedalus et vit à ses crochets, que revient l'honneur de proférer la magique formule : *Introïbo ad altare Dei*. Dans une tour de Sandymount, une de ces tours dont les Anglais avaient jalonné les côtes pour prévenir un débarquement napoléonien, nous retrouvons, flanqué de cet histrion, un Stephen que les temps ont aigri depuis le *Portrait*. La mort de sa mère vient à tel point de l'ébranler que le spectre de celle qu'il croit avoir assassinée le harcèle, le faisant cousin d'Œdipe, d'Oreste et de Hamlet. *Vampire!* lui criera-t-il. Mais cette *morsure de l'en-soi* le poindra jusque dans le giron des courtisanes. A ce malheur s'ajoute, depuis peu, l'intrusion dans la tour d'un étranger, Haines, symbolisant l'usurpateur héréditaire : les prétendants installés chez

La Tour Martello « en quelque sorte, Elseneur... »

Télémaque, le roi Claudius frustrant Hamlet, les Anglais en Irlande, si bien que Stephen pourra se plaindre d'être, comme Arlequin, *serviteur de deux maîtres* : Haines et Mulligan, mais aussi tout ce qu'ils incarnent, mais aussi l'Empire britannique et l'Église italienne... Et c'en est trop : le lait bu, livré par Athéna sous le fichu d'une vieille paysanne, Dedalus décide d'abandonner sa tour, c'est-à-dire de se résoudre à la pire solitude, si l'on songe que cette demeure, baptisée l'*omphalos*, figure la société, la tradition, le paradis et ainsi de suite. Le premier chapitre reprend donc la fin du *Portrait* : rompant à nouveau avec toutes attaches, Stephen à nouveau s'élance vers l'inconnu.

L'heure suivante nous mène à Dalkey où le misanthrope, il faut bien vivre, dispense des cours dans un collège. Les multiples questions qui se croisent en sa classe, touchant les puissants, les batailles antiques, la poésie fille de mémoire, les nombres, le temps, les naufrages, nous remémorent les voyages qu'entreprit Télémaque, pour chercher quelques nouvelles de son père, chez Nestor à Pylos, chez Ménélas à Lacédémone. Les deux monarques se conjuguent ici dans le directeur, Mr Deasy, avec lequel Stephen poursuit une conteste sur les finances, la politique, les maladies bovines, les Juifs et l'avenir de l'Eire. Il est plaisant, si l'on tient Ménélas, époux d'Hélène, pour le modèle du cocu, d'entendre alors Mr Deasy tonner contre les femmes, comme le fera le Citoyen dans la soirée. Et voici introduits quelques thèmes essentiels à l'intelligence d'*Ulysse* : le fils en quête d'un père, déjà salué par Mulligan dans la personne de Stephen ; l'antinomie du nomade et du sédentaire : Bloom s'opposera aux Dublinois comme les Juifs aux Gentils ; et l'indignité ontologique du beau sexe dont Marion va bientôt fournir la preuve.

Onze heures. Bredouille, Dedalus revient à pied vers la cité, longeant la plage. *Suis-je en route pour l'éternité sur cette grève de Sandymount ?* Ses pensées, en tous cas, devant les éléments, prennent aussitôt un cours éternel. Tous les problèmes qui l'ont assailli durant la matinée commandent l'apparition grandiose d'un monologue où, à travers mille images qui se trament et se défont comme les flots, l'angoisse tourne au drame. Les méditations philosophiques sur la connaissance, l'un et le multiple, le repos et le changement, la liberté, la mort, se mêlent aux souvenirs rapportés de Paris, au bruit des vagues, au passage des nuées... L'ensemble

Protée : « Un discours en quatre mots du flot : sîisou, hrss, rsseeiss, ouass ».

compose un hymne au mouvement universel, mouvement des marées, mouvement des idées, qui symbolise les métamorphoses de Protée et les difficultés que Ménélas eut à saisir ce monstre doué de la science suprême, la prophétie. Peu à peu l'inquiétude de Stephen, assimilée à celle des mystiques, des savants, des proscrits, des hérésiarques, des révolutionnaires, apparaît comme une figure de l'humanité à la conquête perpétuelle d'elle-même. Mais la réponse du destin à ce Télémaque sera donnée dans la dernière phrase : *Il avait tourné la tête et regardait par-dessus son épaule. Se déplaçant en plein ciel, de hauts espars aux voiles troussées sur leurs traversins de hunes, rentrait au port, remontant le courant, silhouette silencieuse dans le silence, un navire.*

Au chapitre IV entre en scène le protagoniste dont jusqu'à la fin nous suivrons les pérégrinations : Léopold Bloom, dit Polly, Poldy, Sir Léo, *œil de congre*, alias Ulysse, alias Moïse, le Juif errant, Sindbad le marin, Rip Van Winkle, etc. L'histoire, qui recommence ici à 8 heures du matin, nous le montre dans la situation du roi d'Ithaque chez Calypso. La première image qu'en donnait Homère était celle d'un prisonnier languissant de regagner sa patrie lointaine. Velléitaire, Bloom songe continuellement à retourner vers son pays d'origine, le Levant, dont un prospectus relevé par hasard vante les terres fertiles et les cultures d'orangers. Ces aspirations, jointes à l'incapacité de les réaliser, classeraient aussitôt notre homme parmi les *Dubliners*, n'était sa race. Fils d'un Hongrois de Szombathely, Rudolf Virag, qui s'est suicidé dans des circonstances douteuses, Bloom a pu renier le judaïsme — le fantôme du vieux le lui reproche assez — il n'en porte pas moins, outre le *bout coupé*, des stigmates qui l'isolent dans la vie irlandaise : le sens des affaires, l'esprit positif, l'idéalisme, voire la fierté de son ascendance : *Mendelssohn était juif et Karl Marx et Mercadante et Spinoza. Et le Rédempteur était un juif et son père était un juif. Votre dieu.* Présentement, le rejeton de l'illustre lignée prépare le breakfast de sa femme Marion, Molly pour les intimes — ils sont légion ! — cantatrice sur le retour qui, vautrée dans son lit, jouit d'avance du rendez-vous galant qu'elle a pris, pour 5 heures, avec son impresario, le don Juan Boylan. Des livres pornographiques traînent dans la chambre, des jupons, des jarretières qui tout le jour dérouleront autour de cette Pénélope leur cortège d'évocations voluptueuses. La nymphe repue,

Ithaque : 7 Eccles Street

Léopold qui s'est entre temps sustenté d'un rognon, soulagé de ses selles, cravaté de noir, quitte le 7 Eccles Street à l'heure où Dedalus quitte la tour Martello.

Les Lotophages :
Grafton Street, direction Sud

Le voici dans les rues dont pas une vitrine, pas un passant, pas une rumeur ne nous sont épargnés, qui se dirige en flânant vers la poste où il va retirer, sous le nom d'Henry Fleury, la missive d'une certaine Martha. Pourquoi ce pseudonyme ? Parce qu'en trompant sa femme le prudent Ulysse prend ses précautions, mais aussi parce que le héros use souvent de déguisements, parce qu'Henry est le prénom de Faust, Fleury la traduction de Bloom, comme Bloom l'est de Virag, etc. Chemin faisant, notre ami hume des parfums d'épices, de thé, de café, toujours l'exotisme, médite un placement dans les oranges de Jaffa, rencontre un importun, M'Coy, donne à un autre, Bantam Lyons, un tuyau pour l'Ascot, mauvais d'ailleurs, achète un savon, songe à Rudy, son fils mort, à sa fille Millicent, photographe dans l'ouest où un acolyte de Buck Mulligan vient de la déniaiser, entre dans une église, toujours la profanation, où les communiants lui rappellent les mangeurs de lotus, pour échouer dans un établissement de bains où nous l'abandonnons à des contemplations inavouables.

Ces premiers voyages, qui correspondent à ceux d'Ulysse au pays des Kikones et des Lotophages, se prolongent, au chapitre VI, par une immense traversée de la ville en direction du cimetière Prospect à Glasnevin. C'est ici qu'apparaissent les Dublinois ou, pour mieux dire, les Achéens. Entouré de Martin Cunningham (Eurylochos), de Simon Dedalus (Périmède), de Jack Power, Tom Kernan, Ned Lambert, John Henry Menton, et de maints autres qui circulaient dans *Dubliners*, Sir Léo assiste aux convoi, service et inhumation du regretté Paddy Dignam (Elpénor). L'épisode, qui parodie la descente aux enfers de l'*Odyssée*, chant XI, se double, se triple d'allusions : Glasnevin devient l'Hadès, les canaux et la Liffey évoquent les quatre fleuves infernaux, un mendiant Tirésias, un inconnu Ajax, l'ordonnateur Pluton... Trouve-t-on des miettes dans la voiture mortuaire ? Ce sont les restes des libations qu'Ulysse offrit aux disparus en arrivant en Cimérie. Le corbillard tombe-t-il en panne ? La nef atteint le bord du monde. Aperçoit-on l'Institut des aveugles ? Tirésias n'est pas loin. Bloom rend service à M'Coy ? Voilà Ulysse devant Achille. Les grilles luisent-elles, menaçantes ? Ce sont les yeux de la Gorgone. Descend-on le cercueil ? Belle occasion pour truffer le récit de réminiscences virgiliennes, dantesques, évoquer quelques problèmes scientifiques, et placer discrètement le thème d'une résurrection qui formera l'argument de *Finnegans Wake*.

Eole : « *Devant la Colonne de Nelson, les trams ralentissaient, bifurquaient, changeaient de prise...* »

Toute la compagnie se rassemble, à midi, dans les bureaux d'un quotidien, *L'Homme libre*, où Stephen Dedalus, que l'enterrement tout à l'heure a croisé, vient proposer l'article bovin de Mr Deasy. Nous sommes chez Eole : on sait qu'Ulysse y aborda deux fois, la première bien accueilli, la seconde fort insulté. Ainsi de Léopold qui, s'enquérant de l'annonce Cleys, se voit d'abord gratifié d'amabilités pour s'entendre déclarer peu après par le directeur que le client *peut baiser son royal cul irlandais !* Eole, maître des vents, c'est ici Miles Crawford, maître des fausses nouvelles, et les anecdotes que Joyce rapporte en une série d'articles retraçant, par leur ton, l'histoire de la presse, sur le chant, la publicité, la théologie, l'art oratoire, la justice, les courses, les sports, l'aviation, fourmillent de sous-entendus touchant le navigateur, son fils et leurs déboires ; l'ensemble se lit exactement comme un journal : entre les lignes.

Mais une heure sonne. Bloom vague dans les rues, tenaillé par la faim, à la recherche d'un déjeuner. D'elles-mêmes, ses humeurs prennent un tour culinaire, auxquelles l'arrivée du pasteur Dowie, autre figure d'Ulysse, joint derechef le motif de la communion. Dieu dévoré par ses fidèles, voilà qui fait songer au cannibalisme des Lestrygons, dont les marins d'Ulysse devaient faire le repas, et dont la goinfrerie se donne libre cours à la gargotte Burton : *Des hommes, des hommes, des hommes. Juchés sur les hauts tabourets du bar, chapeau en arrière, autour des tables, redemandant un peu de ce pain à discrétion, sifflant leurs verres, loups gloutonnant*

Les Lestrygons

leur nourriture fadasse, les yeux ressortis, torchant leur moustache mouillée. Un jeune homme au visage de saindoux faisait reluire ses verre, couteau, fourchette et cuiller avec sa serviette. Un nouveau contingent de microbes. Un homme avec sa serviette de bébé tachée de sauce sous le menton s'envoyait à grand bruit de la soupe dans le gosier. Un homme recrachait sur son assiette : cartilage à moitié mastiqué ; pas de dent pour le broybroybroyer. Os de côtelette grillée. S'empiffrant pour en avoir fini plus vite. Yeux tristes d'alcoolique... Petit spasme, le plein des ruminants, remâchage de ce qui est remonté... Non, mais regardez-moi ça et puis encore ça. Ils pompent la sauce du ragoût avec des mouillettes de pain. Lèche donc ton assiette, mon bonhomme ! Dégoûté par cette mangeaille,

Charybde et Scylla : National Library de Dublin

Bloom se contentera, au comptoir, d'un verre de vin et d'un morceau de fromage. A l'instant d'entrer à la Bibliothèque nationale où consulter des petites annonces pour la *Maison des Clefs*, il évitera de justesse l'amant de sa femme, le fier Boylan.

Et voici que les viandes se changent magiquement, au chapitre IX, en nourritures spirituelles. Dans cette bibliothèque, Stephen expose à quelques plumitifs, artisans du renouveau celtique, ses idées sur *Hamlet*. Discussion s'engage, ponctuée d'un discret passage de Bloom dans la coulisse. La dialectique qui régit les propos va louvoyant entre Platon et Aristote, Londres et Stratford, Paris et Dublin, l'hérésie et l'orthodoxie, le conformisme et l'avant-garde,

comme Ulysse entre Charybde et Scylla. Il appert aussitôt que les vues de Stephen trahissent sa propre position : doublement hanté par le fantôme de sa mère et la recherche du père absent, l'orateur s'identifie avec le prince d'Elseneur, tenté comme lui d'accorder au surnaturel une absolue prédominance sur notre monde. Pour Dedalus, le vrai héros de la tragédie, c'est le Spectre, et l'impuissance de Hamlet s'explique par la conscience de n'être ici-bas que *l'ombre d'une ombre*. La preuve : Shakespeare lui-même se réservait le rôle du roi mort, et le fils auquel il s'adressait, à travers le prince, n'était que le sien propre, Hamnet Shakespeare, enterré à Stratford *afin que vécût à jamais celui qui portait son nom*. Cette interprétation, qui reporte le débat dans la famille du poète, fait apparaître ainsi en Anne Hathaway l'archétype des femmes coupables, Gertrude, Cléopâtre, et en Edmond et Richard Shakespeare, frères de William, les scélérats qui, sur scène, devaient reprendre leurs prénoms. Ainsi le lien de chair, comme dans *Dedalus*, se subtilise jusqu'à sa réplique idéale, et la péroraison, interrompue par Mulligan, développe la notion de paternité mystique...

Et le voyage recommence. Dans les quartiers les plus distants, les rochers flottants d'Homère se transforment en Dublinois dont l'incessante circulation nous est décrite par tous les artifices du roman moderne : monologue, pointillisme, simultanéisme, retours en arrière, chassés-croisés. Le Père Conmee, S. J., sourit benoîtement aux passants, enfants, marchands et sergents de ville ; Corny Kelleher inspecte un cercueil et donne audience à l'agent 57, cependant qu'un bras nu balance d'une fenêtre un sou dans la sébille de l'unijambiste ; les sœurs Dedalus partagent une soupe aux pois ; Dache Boylan, sur le point d'acheter des fruits, lorgne ceux de la vendeuse par l'échancrure du corsage ; devant Trinity College de latine mémoire, Artifoni aux puissants pantalons met à l'épreuve l'italien de Stephen ; dans la sombre salle où le sombre Thomas le Musqué fomenta, l'année sombre 1534, une révolte, Ned Lambert, J. J. O'Molloy et l'histoire d'Irlande accueillent sombrement un sombre ecclésiastique ; tandis que des magistrats considèrent l'affaire Goulding et que froufroutent les soies d'une vieille dame, Tom Rochford explique le fonctionnement d'un appareil à disques, Lenehan et M'Coy supputent les paris mutuels, après quoi le premier commente les rondeurs, seins, fesses, de Molly, femme Bloom ; le même Bloom balance, chez un libraire, entre trois ouvrages : *Les Douceurs du péché* (érotique), le *Chef-d'œuvre* d'Aristote (philosophique), et les *Terribles révélations de Maria Monk* (monastique) ;

« *Les Douceurs du péché* »

Dedalus fille extorque deux pence à son papa ; Tom Kernan, récent vainqueur d'une tractation commerciale, palabre sur un continent (l'Amérique), un état de choses (les pots de vin), un personnage (Dedalus père), un costume (le sien même) et une ville historique (Dublin) ; toujours mordu, Dedalus fils déserte l'en-soi par Bedford Street ; Ben Dollard s'achemine vers le Père Cowley : il est question d'un prêteur, d'un vêtement, d'un huissier, d'un clergyman ; Martin Cunningham se débarrasse d'un marmot à Castelyard et salue des dignitaires municipaux ; Haines et Mulligan prennent le *five o'clock tea* dans le même établissement que le frère de Parnell ; un quidam entend sa mère traitée de garce par un aveugle ; Dignam, fils du refroidi, franchit le passage Wicklow en compagnie de son deuil et d'une livre de côtelettes ; bref, la vie entière de la cité est saisie dans un tourbillon que résume le grand cortège du vice-roi, et l'épisode, central, équivaut ainsi à la reproduction microcosmique du livre entier.

Suit le chant des Sirènes. A l'Ormond Bar où, sur le coup de 4 heures, Mr Bloom déjeune enfin, nous reconnaissons la passion des Dublinois pour la musique au concert qu'ils offrent à Miss Douce et Miss Kennedy. Les vocalises ne distraient pourtant point *œil de congre* de sa hantise : en cette heure même, l'odieux Boylan se hâte vers Pénélope. Le cornard se voit copieusement moqué par les barmaids dont ce Lovelace a les faveurs : comiquement, ce sont les Sirènes qui se bouchent les oreilles pour ne point entendre parler d'Ulysse. Cette infortune, déjà cuisante, s'aggrave une heure plus tard dans la taverne de Barney Kiernan où un butor, désigné comme le Citoyen et qui représente le cyclope Polyphème, tient assises. Ses discours chauvins, exaltés par le gigantisme, sont coupés à tout bout de champ de digressions désopilantes sur l'Irlande, sa géographie, sa flore, sa faune, ses ressources agricoles, minières, industrielles et maritimes, ses édifices, ses champions et autres traditions en rapport avec les aventures odysséennes. Le cigare que fume Bloom, symbole de l'épieu qu'Ulysse enfonça dans l'œil du bougre, le désigne, comme un signe extérieur de richesse, à la vindicte gaélique. Bouc émissaire, chargé de vices et maladies honteuses, le *youtre* tente en vain d'opposer le bon sens à cette ire qu'accroissent les tournées de bitter : brusquement le Citoyen le prend à partie, l'injurie, le bafoue et l'expulse en lui lançant une caisse de biscuits... *Or voici*

La demeure du Cyclope : le bar de Bernard Kiernan

qu'une lumière éclatante descendit sur eux et ils virent le char où Il se tenait debout qui montait au ciel. Et ils Le virent dans le char, vêtu de la gloire de cette lumière, et Son vêtement était tel que le soleil, et plus gracieux que la lune et si terrible que dans leur crainte ils n'osaient plus lever les yeux vers Lui. Et une voix qui venait du ciel appela : Elie ! Elie ! *Et Il répondit dans un grand cri :* Abba ! Adonai ! *Et ils Le virent Lui, Lui-même, ben Bloom Elie, monter parmi les tourbillons d'anges vers la gloire de la lumière à un angle de quarante-cinq degrés au-dessus de chez Donohoe, Little Green Street, comme une pleine pellée de poussier.*

Fondé, comme *Finnegans Wake*, sur l'alternance de la chute et de l'élévation, il est logique qu'*Ulysse*, après avoir chanté l'assomption du héros, en suive la dégringolade. Désemparé, penaud, le voilà qui rôde, au chapitre XIII, l'un des plus allégoriques, sur la plage où Stephen se recueillait le matin même. La nuit tombe ; le paysage bleuâtre nous est dépeint dans le style des romans pour midinettes. C'est que babillent, non loin de là, des jouvencelles, ces *jeunes filles de la grève* dont on a tant parlé, et que leurs jeux innocents, la balle et le tricot, rappellent ceux des compagnes de Nausicaa. Leur princesse, la belle Gertie Mac Dowell, se tient indolente à l'écart, sur un roc où Bloom ne tarde pas à la repérer. Appétits de l'un, illusions de l'autre : une amoureuse complicité les rassemble à la faveur du crépuscule. Non sans perversité, la pucelle en se retroussant laisse entrevoir peu à peu *les secrets de ses petits tiroirs*, si bien que Léopold, qui l'observe de loin d'une main fort attentive, rivalise avec les chandelles du feu d'artifice. Détumescence. Les vierges s'éloignent ; Nausicaa tire la jambe. Et Bloom : *Content de n'avoir pas su ça pendant qu'elle se montrait. Tout de même quelle petite enragée. Après tout pourquoi pas. Ce serait de l'inédit comme avec une religieuse, une négresse ou une jeune fille à lunettes... Peut-être à la veille de ses époques, ça les rend chatouilleuses... M'a vidé, la mâtine... Chérie j'ai vu ton. J'ai vu tout. Sapristi ! Ça m'a tout de même fait du bien...* Il ne lui reste plus, pour finir la soirée, qu'à rendre visite à une amie de la famille, Mme Mina Purefoy, dont l'état l'inquiète : la malheureuse est en gésine.

On ne saurait comprendre l'épisode suivant, les Bœufs d'Hélios, et ses implications théologiques qu'en se souvenant du rapport, marqué dans *Dedalus*, entre la vache et le péché originel. Homère lui-même suggère le rapprochement, qui fait de ce mammifère comme un fruit défendu : c'est pour avoir, à bout de vivres, mangé les bœufs solaires que les marins d'Ulysse devaient se perdre. Cette coupable inconscience règne, dans la maternité où Mme Purefoy accouche d'un garçon, parmi les internes qui mènent ripaille avec Stephen et Bloom. Ici le mal et l'existence échangent leurs secrets, la faute s'associant tour à tour à la pollution (remords de Polly, à la piffrerie (de Lenehan), à la stérilité (de l'Irlande), à la profanation (des rites), aux maladies (des humains et des bœufs), à l'intempérance (générale), aux pratiques abortives, à la littérature, jusqu'au tonnerre qui

Circé : « L'entrée par Mabbot street du quartier des bordels »

éclate, comme dans *Finnegans Wake*, pour signifier la colère de l'Éternel. Au grand complet, la bande se rue vers le quartier Mabbot. Et Bloom ? Pour la nième fois il vient de rencontrer Stephen, et voici qu'un obscur instinct réveille en lui la mémoire de son enfant mort. Se peut-il que ce falot démarcheur s'éprenne de l'ombrageux artiste ? Que cet Ulysse reconnaisse *la chair de son âme* en ce Télémaque ? Certes, et la naissance du petit Purefoy prélude magiquement à leur alliance : comme à la fin de l'*Odyssée*, père et fils vont se réunir, et dans l'unique lieu où les relations charnelles divorcent justement de leur fin : dans un bordel.

Toute exégèse ici perd pied. A peine franchi le seuil de ce claque où Circé trône en sous-maîtresse, une prodigieuse féerie s'empare des thèmes de la journée, panache mille et un tableaux qui tiennent du sabbat, de l'orgie, de la danse macabre, du délirium tremens, du *Songe d'une nuit d'été*, de la *Walpurgisnacht* et de la *Tentation de Saint Antoine*. Le plus formidable déploiement de symboles accompagne donc cette apothéose où les objets se mettent à parler : éventail, papier peint, chromos, boutons de portes, ifs, casquette ; où se multiplient les bêtes emblématiques, depuis le chien de Méphisto jusqu'au cheval de Troie ; où les revenants se mêlent à la sarabande comme au décor les hallucinations ; où les héros eux-mêmes changent de nom, de sexe, d'âge, de caractères, comme s'ils revivaient leur Karma, Bloom, par exemple, apparaissant successivement, pour rappeler à la fois les « mille ruses » d'Ulysse et les enchantements de la magicienne, en *Bloom tel qu'est Bloom*, en galopin, en Turc, en étudiant d'Oxford, en chevalier servant, en franc-maçon, en Napoléon, en turfiste, en gibier d'assises, en plâtrier, en matelot, en lascar, en anarchiste, en notable, en empereur, en prophète, en saint Martin, en réformateur sioniste, en docteur, en saint Louis, en juge, en leader politique, en lord Beaconsfield, lord Byron, Wat Tyler, Moïse d'Égypte, Moïse Maïmonide, Moïse Mendelssohn, Henry Irving, Rip Van Winkle, Kossuth, Jean-Jacques Rousseau, Rotschild, Robinson Crusoë, Sherlock Holmes, Pasteur, en femme enceinte, au pilori, en Jésus, en chemineau, en émigrant, en mage, en laquais, en cocu, en bonne, en prostituée, en champion des Droits de l'Homme, en iconoclaste, en saint Pierre, en pater familias, en initié, et, androgyne, se divisant comme Dieu, mettant au monde *huit enfants mâles de race jaune et de race blanche*, souffrant en femme soumise les vexations de la matronne, se rebiffant, reprenant, comme Ulysse par la vertu du philtre, la maîtrise des lieux pour enfin, devant Stephen assommé par un soldat Carr, reconnaître son fils, le nommer, l'éveiller et s'acheminer avec lui vers la patrie reconquise, vers le palais d'Ithaque, 7 Eccles Street.

Reproduisant la disposition des trois premiers chapitres, les trois derniers content ce retour du voyageur, sa victoire sur les prétendants et son entrée chez Pénélope. L'histoire accomplit ici la fin du mythe annoncée par tous les augures depuis le matin : *Elie arrive! Il arrive!* Dans la cabane du berger Eumée, un estaminet, l'*Abri du Cocher*, dont le patron Peau de Bouc a trempé dans l'attentat de Phœnix Park, le héros et son fils spirituel se reposent un instant, devisent, grignotent des gaufrettes, écoutent les vantardises d'un marin débarqué du bateau que Stephen contemplait à midi, et se disposent à gagner le lit hospitalier. Le bon Bloom n'offre-t-il pas à Dedalus clos et couvert ? Pour un bohème sans gîte, quelle aubaine ! Mais Stephen refusera fièrement ; l'hospitalité bloomesque se limitera à une tasse de cacao. Tout rassemble, mais tout éloigne ces deux hommes, et l'épisode qui suit, rédigé comme un catéchisme, fera le point de leurs divergences, résumera la journée, tirera les conclusions et dressera, pour finir, un système de l'univers, du temps et de la vie. L'odyssée qui trouve ici ses proportions cosmiques commence à s'évanouir dans l'espace, le rêve, et n'a plus qu'à s'achever sur l'immense monologue de Marion qui, réveillée par la rentrée tardive de son mari et ne pouvant retrouver le sommeil, voit passer en sa nuit des myriades d'images, comme la Terre qu'elle incarne a vu passer les âges, les peuples, les civilisations : *et les glorieux couchers de soleil et les figuiers dans les jardins de l'Alameda et toutes les ruelles bizarres et les maisons roses et bleues et jaunes et les roseraies et les jasmins et les géraniums et les cactus et Gibraltar quand j'étais jeune fille et une Fleur de la montagne oui quand j'ai mis la rose dans mes cheveux comme les filles andalouses ou en mettrai-je une rouge oui et comme il m'a embrassée sous le mur mauresque je me suis dit après tout aussi bien lui qu'un autre et alors je lui ai demandé avec les yeux de demander encore oui et alors il m'a demandé si je voulais oui dire oui ma fleur de la montagne et d'abord je lui ai mis mes bras autour de lui oui et je l'ai attiré sur moi pour qu'il sente mes seins tout parfumés oui et son cœur battait comme fou et oui j'ai dit oui je veux bien Oui.*

Si retorses soient-elles, ces correspondances sont encore loin d'épuiser le symbolisme de l'ouvrage. Joyce lui-même en suggère d'autres apparentant *Ulysse*, non plus à l'*Odyssée*, mais à la *Bible*, au *Talmud*, à la *Kabbale* et au *Zohar* : *La préparation du déjeuner (sacrifice du rognon) ; congestion intestinale et défécation préméditée (Saint des Saints) ; le bain (rite de Jean) ; l'enterrement (rite de Samuel) ; l'annonce d'Alexander Cleys (Urim et Thummim) ; le lunch sommaire (rite de Melchisédec) ; la visite au musée et à la Bibliothèque nationale (Saints Lieux) ; la pêche aux bouquins dans Bedford Row, Merchants Arch, Wellington Quay (Simchath Torah) ; la musique à l'Ormond Hotel (Sira Shirim) ; l'altercation avec un truculent troglodyte dans le débit de Barney Kiernan (Holocauste du bouc émissaire) ; un laps de temps indéterminé impliquant une course en voiture, une visite à la maison mortuaire, des adieux (le désert) ; l'excitation sexuelle engendrée par exhibitionnisme féminin (rite d'Onan) ; l'accouchement laborieux de Mme Mina Purefoy (Oblation) ; la séance dans la maison close de Mme Bella Cohen, 82 Tyrone Street, Lower, et la dispute et la rixe fortuite qui s'ensuivirent dans Castor Street (Armageddon) ; la déambulation nocturne pour aller à l'Abri du Cocher, Pont Butt, et pour en revenir (Expiation).*

Il est aussi recommandé d'interpréter l'histoire comme une messe dont Mulligan prononce l'introït, Mr Deasy le confiteor, Stephen le kyrie et le gloria devant la mer, dont la quête correspond aux espoirs financiers de Bloom, l'épître et l'évangile aux morceaux de bravoure des reporters, le

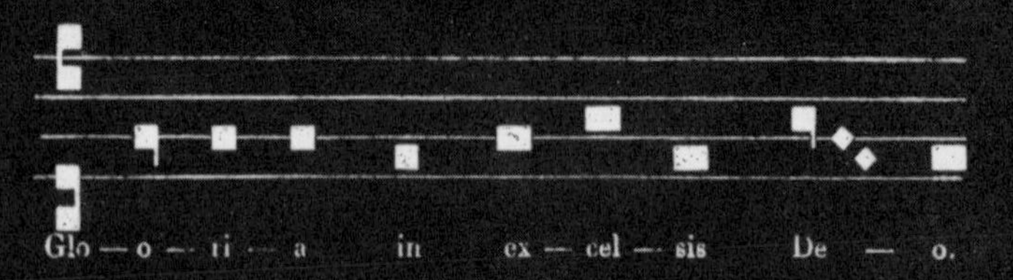

credo à la discussion sur *Hamlet*, le sanctus aux cantiques des Sirènes, la consécration à l'épreuve de Léopold chez les Cyclopes, l'élévation à sa tumescence vespérale, l'agnus dei et la communion au repas des carabins, l'ite missa est à la rencontre du père et du fils, et le dernier évangile, celui de la Terre, au soliloque de Molly. Mais, à côté de cet ordre rituel, un autre office, diabolique, inverse la liturgie comme dans les cérémonies de sorcières et les messes noires, et c'est ainsi que la communion des Lotophages précède le credo du Citoyen, que l'élévation sonne dans *Protée* avant l'offertoire de la Mater, que Stephen reprend chez Bella l'introït initial, que le memento des vivants et des morts au Prospect suit la bénédiction méridienne, et ainsi de reste. Plus exactement, chaque partie du divin service est rompue comme le pain, répandue comme le vin à travers le livre dont les moindres chapitres participent alors au sacrifice de l'ensemble. D'où l'extrême importance du thème eucharistique, qui ne révèle point seulement une dérision du sacrement, mais bel et bien la structure d'*Ulysse* : le verbe ici rayonne sur toute la journée, et c'est bien en cette omniprésence que les heures, les actes, les phrases, les symboles trouvent leur aliment, comme le fidèle en Dieu.

On peut enfin tenir, avec Foster Damon, Bloom pour le Christ, Stephen pour Lucifer, et expliquer ainsi leurs natures opposées et complémentaires comme la brièveté de leur rencontre aux « infernaux paluz » ; dresser de page en page le calendrier des fêtes chrétiennes : Noël (naissance Purefoy), Pâques (chez Bella Cohen), Ascension (char de Bloom), Pentecôte (feu d'artifice), Toussaint (cimetière), ou des rites traditionnels : baptême (au bain-douche), confirmation (en bibliothèque), extrême-onction (chez Dignam) ; observer que l'œuvre décrit un mythe solaire, une initiation maçonnique, une expérience d'alchimie, une quête mystique, un mystère religieux ; considérer tout épisode comme un organe et le corps entier comme l'image du macrocosme ; attribuer à tel passage telle couleur dominante, et voir aussitôt apparaître le drapeau grec : blanc-bleu, et l'irlandais : vert-blanc-orange ; remarquer qu'à chaque section répond un art précis, une science, une discipline philosophique, un lieu, une heure, une atmosphère, et surtout une technique d'écriture. C'est dans la belle étude de Stuart Gilbert, *James Joyce's* Ulysse, qu'on trouvera le tableau de ces correspondances :

	ÉPISODE	SCÈNE	HEURE	ORGANE
1	Télémaque	Tour	8 h.	
2	Nestor	École	10 h.	
3	Protée	Plage	11 h.	
4	Calypso	Maison	8 h.	Reins
5	Lotophages	Bain	10 h.	Organes génitaux
6	Hadès	Cimetière	11 h.	Cœur
7	Éole	Journal	12 h.	Poumons
8	Lestrygons	Déjeuner	1 h.	Œsophage
9	Charybde et Scylla	Bibliothèque	2 h.	Cerveau
10	Rochers flottants	Rues	3 h.	Sang
11	Sirènes	Salle de concert	4 h.	Oreille
12	Cyclopes	Taverne	5 h.	Muscle
13	Nausicaa	Rochers	8 h.	Œil, nez
14	Bœufs du Soleil	Hôpital	10 h.	Utérus
15	Circé	Bordel	12 h.	Appareil locomoteur
16	Eumée	Abri du Cocher	1 h.	Nerfs
17	Ithaque	Maison	2 h.	Squelette
18	Pénélope	Lit		Chair

ART	COULEUR	SYMBOLE	TECHNIQUE
Théologie	Blanc, or	Héritier	Narration (jeune)
Histoire	Brun	Cheval	Catéchisme (personnel)
Philologie	Vert	Marée	Monologue (mâle)
Économie	Orange	Nymphe	Narration (adulte)
Botanique Chimie		Eucharistie	Narcissisme
Religion	Blanc, noir	Pompes funèbres	Incubisme
Rhétorique	Rouge	Éditeur	Enthymène
Architecture		Sergents de ville	Péristaltique
Littérature		Stratford Londres	Dialectique
Mécanique		Citoyens	Labyrinthe
Musique		Barmaids	Fugue canonique
Politique		Fénian	Gigantisme
Peinture	Gris, bleu	Vierge	Tumescence, détumescence
Médecine	Blanc	Maternité	Développement embryonnaire
Magie		Prostituée	Hallucination
Navigation		Marins	Narration (vieille)
Science		Comètes	Catéchisme (impersonnel)
		Terre	Monologue (féminin)

Une ordonnance si profonde ne saurait être arbitraire. Plus on pénètre en ce livre, plus on le découvre dominé par une finalité divine qui oriente les moindres pensées, les moindres événements vers l'union capitale et bouffonne de Bloom et de Stephen. Cent fois, au cours de ce 16 juin, leurs routes, leurs monologues s'entrecroisent comme les clefs d'Alexander Cleys : ils remarquent le même nuage à la même heure, entrent et sortent des mêmes établissements, ressassent les mêmes images, l'un songeant à la mort comme l'autre est à l'enterrement ou traitant de Shakespeare que l'autre va citer, et peu s'en faut que cette télépathie s'accompagne d'expériences identiques : démarches au journal, visite à la clinique, fréquentation du même bordel, sévices d'énergumènes... Et certes, nos héros pourront bien compter autant de dissemblances que de similitudes, à Bloom, esprit positif, quadragénaire, conciliant, mercantile, Stephen opposant le rêve, la jeunesse, la révolte, la poésie ; en incarnant pourtant Ulysse en ce courtier juif et Télémaque en ce bohême irlandais, Joyce n'entend point seulement montrer, comme Victor Bérard, l'origine sémitique de l'*Odyssée* ou souligner ce que l'histoire d'Eire a de commun avec celle des Israélites, mais imposer, au-delà des barrières du sang et de la fortune, la notion d'une parenté essentielle entre tous les hommes.

Père-fils : rien de charnel ici ne lie Stephen à Léopold. De chapitre en chapitre, la paternité se trouvera dénoncée *comme une fiction légale. La paternité, en tant qu'engendrement conscient n'existe pas* pour Joyce, et ce *mal nécessaire* que sont les parents ne tient jamais qu'à *une minute d'aveugle rut*. Voilà pourquoi Dedalus n'a cure de rencontrer son père, Simon, et se contente d'entendre *parler de lui* : celui qu'il cherche reste aussi étranger au pauvre paillard que Claudius au feu roi Hamlet. A ses yeux, la seule union qui vaille, celle de l'esprit, se fonde sur *un état mystique, une transmission apostolique du seul générateur au seul engendré*. Comme la tendresse de Richard pour son fils Archie n'avait d'égale, dans *Les Exilés*, que sa dureté envers Bertha, comme Stephen, à la fin du *Portrait*, se résignait à fuir la maison familiale, *Ulysse* s'établit sur un double refus : de la mère animale et du père supposé, au profit d'un choix, d'une libre adoption, d'une indépendance spirituelle. « En réalité, dit Louis Gillet, l'amour chez Joyce semble une propriété exclusivement mâle, une affection virile, abstraite, qui n'a rien à voir avec la bagatelle et est située entièrement en dehors du domaine des sens : un courant qui va d'homme à homme, sans passer par l'intermédiaire des entrailles maternelles ; un type de généalogie du genre de la grandiose introduction de saint Matthieu : *Isaac autem genuit Joseph*, etc. » qu'imite le pedigree fantastique où Bloom se déduit de Moïse en passant par toutes les races, de Smerdoz à Aranjuez et d'Ostrolopsky à Dupont-Durand. « C'est une sorte de loi salique qui opère de mâle en mâle, sans l'intervention des ventres. » La mère ne compte pas. Stephen Dedalus renie la sienne ; c'est une faiblesse qu'il abjure. « Femme, qu'y a-t-il entre vous et moi ? »

Qu'y a-t-il ? C'est peut-être ici qu'il sied de se souvenir de ce que fut le 16 juin 1904 : le jour où Joyce rencontra sa future femme, et sans doute en devint l'amant. C'est peut-être ici qu'il sied encore d'évoquer sa conduite étrange lorsque, plus tard, Cosgrave (Lynch) se vanta de l'avoir trompé. Cosgrave mentait, et Joyce en reçut la preuve ; le soupçon ne laissa pas de le troubler au point qu'il suspendit *Ulysse* pour écrire ce méchant drame, *Les Exilés*, où l'incident paraît au clair. Richard sait sa femme éprise de Robert ; la retient-il ? Il la pousse presque à l'adultère, pour se donner le plaisir sadique de la confesser. Or que fait Bloom ? La volupté qu'il tire de son cocuage affleure à tout moment dans sa lubricité. Complaisamment il imagine Molly dans les bras de ceux dont il détaille lui-même le catalogue, et dans la scène de *Circé* fondée tout entière sur la projection des désirs inconscients, il va jusqu'à se faire le voyeur de la chose et proposer de la vaseline aux amateurs. Molly d'ailleurs a de fortes excuses : n'a-t-il pas cessé tout commerce charnel avec elle depuis dix ans — ces dix ans qu'Ulysse égrenait sur les flots inlassables ? Masochisme ? Impuissance ? Plutôt mutuelle lassitude ; mais comment, dans ces conditions, Léopold attend-il un fils ? A la question répond William Empson : en proposant sournoisement sa femme à Dedalus [1]. Tous les prétextes lui sont bons, en effet, pour attirer le jeune homme en cette couche : des leçons de chant avec Molly, des heures d'italien, les photos aguichantes qu'il sort de son portefeuille ; et il faut croire que l'épouse s'accommoderait du nouvel hôte puisqu'elle

1. William Empson : « The Theme of *Ulysses* », in *Kenyon Review*, XVIII, nº 1, hiver 1956. Trad. Roger Giroux, *Lettres nouvelles*, juin 1957.

confesse en son monologue : *si je pouvais seulement avoir un beau jeune poète à mon âge la première chose que je ferai quand il fera jour ça sera de battre les cartes*, et envisage aussitôt la conséquence : *je lui apprendrai tout et le reste je le ferai jouir des pieds à la tête jusqu'à ce qu'il défaille à moitié sous moi.*

Pour idéal qu'il soit, le thème paternel n'est donc pas plus exempt d'équivoques que celui du sexe. En cette union qu'on veut croire mystique, la chair a son mot à dire, le dit crûment, et l'immense journée aboutit aussi bien à la résolution des contraires qu'à une séance de proxénétisme. Mais le dualisme, à son tour, masque l'allégorie. Le secret d'*Ulysse*, ce n'est point, comme le croit Empson, que Bloom invite Dedalus à lui donner une descendance, c'est que Père et Fils se rejoignent ici à travers la possession symbolique de la même Femme. Joyce se demandait, dans ses notes sur *Les Exilés*, si les deux rivaux Robert et Richard n'aspiraient pas au fond à *communier charnellement en la personne de Bertha.* Son *Odyssée* résout l'énigme et l'élève à la parabole : si dans Bloom et Stephen s'incarnent les deux principes universels, qui sont aussi les deux faces du Temps, il n'est point surprenant que Molly, la Terre, les concilie. En son corps infini l'avenir et le passé s'accouplent, et le *Oui* qui clôt leur dialogue s'ouvre à l'éternité.

*Anna Livia : du jour d'*Ulysse
à la nuit de Finnegans Wake ►

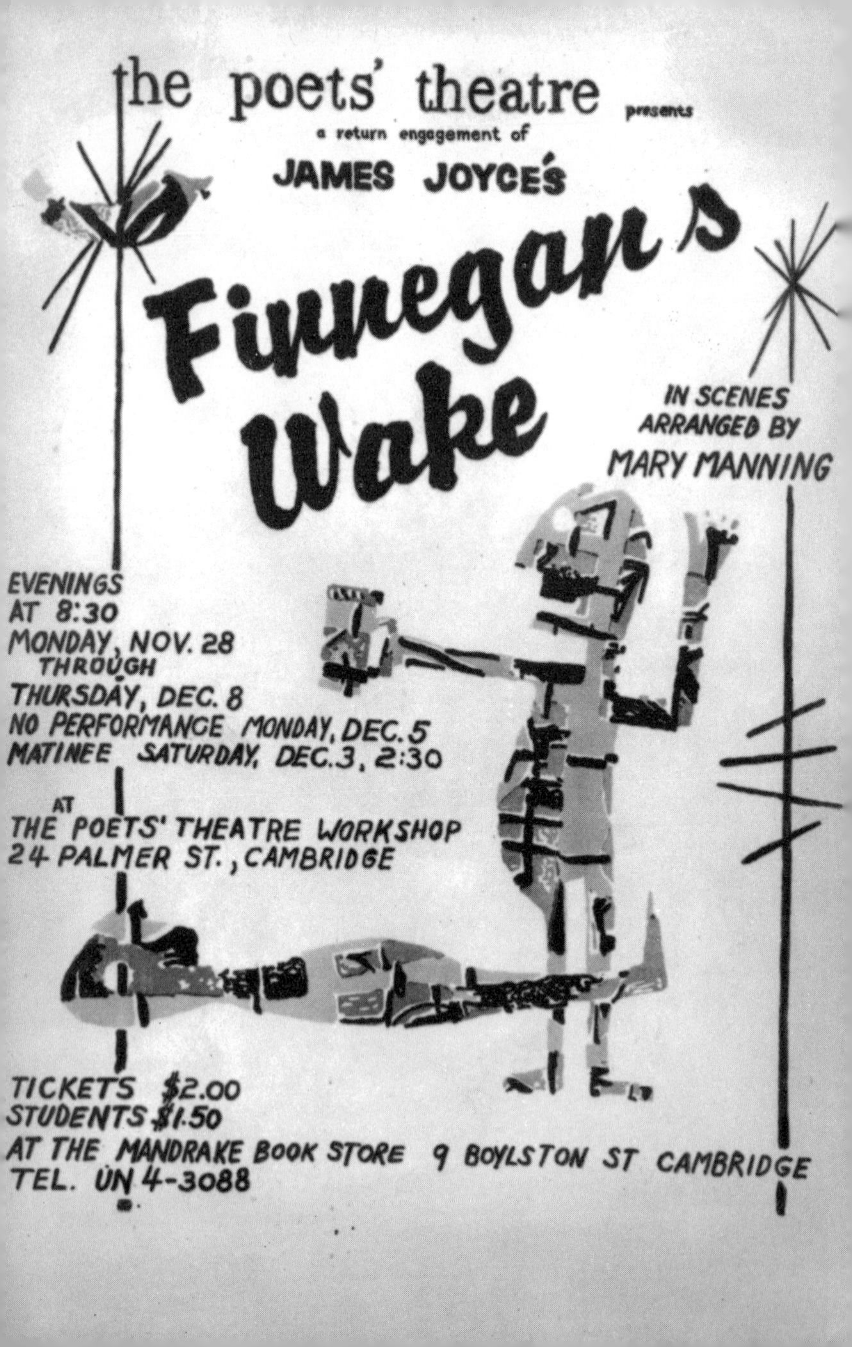
the poets' theatre
presents
a return engagement of
JAMES JOYCE'S
Finnegan's Wake
IN SCENES
ARRANGED BY
MARY MANNING
EVENINGS
AT 8:30
MONDAY, NOV. 28
THROUGH
THURSDAY, DEC. 8
NO PERFORMANCE MONDAY, DEC. 5
MATINEE SATURDAY, DEC. 3, 2:30
AT
THE POETS' THEATRE WORKSHOP
24 PALMER ST., CAMBRIDGE
TICKETS $2.00
STUDENTS $1.50
AT THE MANDRAKE BOOK STORE 9 BOYLSTON ST CAMBRIDGE
TEL. UN 4-3088

Vanité, ô vanité, ta victoire!
Finnegans Wake

L'ALPHA ET L'OMEGA

Les critiques qui, dès sa publication, regardaient *Ulysse* comme une impasse du roman oubliaient qu'*un homme de génie ne commet pas d'erreurs*, que *ses erreurs sont volontaires et sont les portails de la découverte*. La fascination que l'œuvre exerçait déjà sur des auteurs aussi différents qu'Eliot, Virginia Woolf, Faulkner, Dos Passos, Hemingway, Hermann Broch, Italo Svevo, l'assurait d'une nombreuse postérité. Joyce eût pu s'en remettre à cette gloire subite, et Budgen nous apprend qu'il ne la bouda pas. Mais une idée plus vaste encore prenait en lui sa source. Quelques vacances dans le Sussex où l'on venait, paraît-il, d'exhumer les os d'un géant, une relecture de Vico, un séjour sur la Riviera, et l'artisan légendaire se retrouvait au métier. En 1927 commençaient à paraître dans *transition*, la jeune revue qu'animait Eugène Jolas, des morceaux énigmatiques que Ford Madox Ford avait baptisés provisoirement *Work in progress*.

C'était grilleure et les taupes glissagiles
Gyraient sur la loinde et guimblaient
Les borogauves avaient l'air tout chétriste
Et fourgavés les rathes vociflaient [1].

1. Lewis Carroll : « Le Jabberwocky », traduction J. B. Brunius, in *Cahiers du Sud*, XXXV, n° 287, 1948.

Par leur vocabulaire, les nouveaux textes de Joyce s'apparentaient bien plus au *Jabberwocky* de Lewis Carroll qu'aux monologues d'*Ulysse* — témoin ces notes qui commentaient à leur façon les rôles du ténor John Sullivan : *Et celui-là qui s'avance en caftan sang jument, tel Hiesous en Finisterre, les orbites phyllisteintes, les mâchoires de bourreauqué ? Un tendre enfant le mènera. Tiens, c'est Costo Simpson, Timothée Nathan, ores chez Simpson, son tournedos ! Hein, Tim Nat, chauve professeur, tu l'as laissée chez la choiffeuse ? Mais non de non. Regarde ! Escoulte ! Il exhausse les bras en acte de triomphe vers la potence de l'Omnivers et appelle sur ces fils de Cohenaan hors progromme : Vautre Dieu, la dièche !* [1]

Cette fois, la synthèse de l'un et du multiple, qui jusqu'alors n'avait régi qu'intrigue et personnages, s'effectuait à l'échelon du mot. Ce n'était point qu'*Ulysse* fût exempt de ces acrobaties : *eppripfftaphe, merfroid, mornabsent, mes tempes si chose...* Mais assez rares, aisément intelligibles, elles n'affectaient guère la cohérence du discours. Dans l'œuvre en train, dont le vrai titre, *Finnegans Wake*, gardé secret par James et Nora Joyce, ne devait apparaître qu'avec l'édition de 1939, les mots-valises chers à Humpty Dumpty ne jouaient plus un rôle ornemental, mais essentiel. Les lecteurs mi-ravis, mi-consternés, découvraient là une conception si nouvelle de l'écriture que les pires audaces d'*Ulysse* semblaient déjà timidités. *Ça rappelle l'engravure délavée que nous fûmes jadis imbrûmés sur le floumur de la maison désaubergée. Furent-ils ? (Je parie que ce raseur bagoubêcheux avec sa boîte à chocolat moujikale, Michel Marais, écoute à la serrure), les restes, jà dis-je, de la gravemure surrusée où jadis furent Ptollmens des Incubes inhumés. Fûmes-nous ? (Il fait salement prétendant d'espincer la harpe jubalaire d'un second ouïteur vécu, Farrelly la Flamme). L'histoire est connue. Eclef ta lanterne et mire le vieil ores neuf. Dbln. W. K. O. O. T'entends ? Proche le mur du mausoliant. Fimfim fimfim. Gros fruit de fumeferrailles. Fumfum fumfum. C'est optophone qui ontophane. Chute. La lyre muthyque de Pireblé. Ils la jouteront désorrive. Ils en ouïront leur saoul.* [2]

Plaisanterie ? Les meilleures, dit-on, sont les plus courtes, et Joyce avait mis dix-sept ans à cuisiner celle-là. Dix-sept ans

1. *De Honni-soit à Mal-y-chance*, traduction Armand Petitjean. *Mesures*, n° 1, jan. 1936.
2. *Mutt et Jute*, traduction André du Bouchet, *Lettres nouvelles*, juillet-août 1955.

et davantage : toute son œuvre antérieure progressait avec méthode vers ce monstre déconcertant. Enfant, l'artiste ne portait-il déjà une attention passionnée au monde sonore ? N'avouait-il pas que le *suck!* d'un lavabo qui se vide ou le *kiss* de baiser le troublaient étrangement ? Les mots, pour lui, possédaient leur vie propre, leur mémoire, leur paysage, comme ce *vin* qui *faisait penser à la pourpre sombre*, aux *raisins qui mûrissent en Grèce contre les maisons pareilles à des temples blancs...* Dès *Dubliners*, ces expressions évocatrices l'emportaient sur les objets qu'elles désignaient. Élues pour leur musique, leurs chatoiements secrets, leurs ramifications infinies, elles composaient peu à peu un univers plus riche d'images que l'univers visible. En cette symphonie, certains motifs — qu'on se souvienne de *paralysie*, *gnomon*, *simonie* — se comportaient exactement comme des personnes, apparaissant, disparaissant, porteurs d'idées, de messages ; et ce serait sans irrévérence que Stephen définirait Dieu : *un bruit dans la rue*. La dissociation du son et du sens, recommandée par les symbolistes, entrait aussi pour une bonne part dans la notion d'épiphanie. *Stephen le Héros* et *Dedalus* en tiraient maints effets, comme ces rêves nés d'un nom : *couloir*, *jupes*, d'un titre : *Les Maladies du bœuf*, *Rosie O'Grady*, d'un vers : *un jour pommelé de nuages marins*, d'une citation : *la prestigieuse cadence de Newman : « Leurs pieds sont semblables aux pieds des biches, mais au-dessous sont les bras éternels. »* Il arrivait même que tel comparse se trahît par son parler : Cranly par le latin, Lynch par le *jaune soufre*, comme Bloom ou Molly se trahiraient par leurs apartés. Fortifié des langues étrangères que Joyce étudiait, enseignait, comparait constamment, ce caractère envahissant du verbe s'affirmait avec *Ulysse*. Non seulement le vocabulaire (30 000 mots) y prenait une ampleur qu'aucun poète ne lui avait donnée, rajeunissant des archaïsmes, fondant de nouveaux sens, créant mille néologismes, des interjections, des onomatopées, mais les gens eux-mêmes obéissaient à ses caprices, comme le malheureux John Eglinton dont le nom subissait maints outrages : Second Eglinton, Ugling Eglinton, Eglintonus Chronologos, Mageeglinjohn, Judge Eglinton, Eglinton Johannes, John Eclecticon, etc. De même que Dublin, transposé dans l'œuvre joycienne, évoluait vers une ville de plus en plus imaginaire, de même l'objet s'effaçait devant sa traduction, l'homme devant son soliloque. Désancré, le langage appareillait superbement, entraînant en son sillage l'histoire entière, vers la beauté qui n'avait pas encore paru au monde, et dont le sommeil dirait les secrets.

Livre du songe, *Finnegans Wake* emprunte sa technique au phénomène freudien de la condensation. Comme un rêveur résume souvent en un seul être ses familiers, les noms, les verbes, les adjectifs rayonnent ici de multiples significations. Qui n'a remarqué, devant un vieux mur, un nuage, un carrelage, que tantôt une forme, tantôt une autre s'y peignait ? En théorie, chaque page de *Finnegans Wake* doit révéler ces messages changeants. Mieux, chaque terme. *Sanglorians*, par exemple, formé de *sang* et de *glory*, évoque aussitôt un sacrifice militaire, un sang versé glorieusement pour la patrie reconnaissante. Mais poursuivons : *sanglot* est de la partie. Sang, gloire, sanglots, voilà la guerre. Et comme cette guerre est, dans le texte, fort archaïque, *agrarians* ajoute l'idée d'une lutte de clans agriculteurs. Une idée que *sangle* complète : sangles des chevaux sanglants, soldats sanglés dans leur gloriole... Y sommes-nous ? Non, certes. Car on peut lire tout le contraire : une guerre *sans gloire*, un *sang* pour *rien*, ce qui détruit toute supposition. Le même paragraphe contient *camibalistics* associé à l'image d'une cata-

« *L'art a le don des langues* »

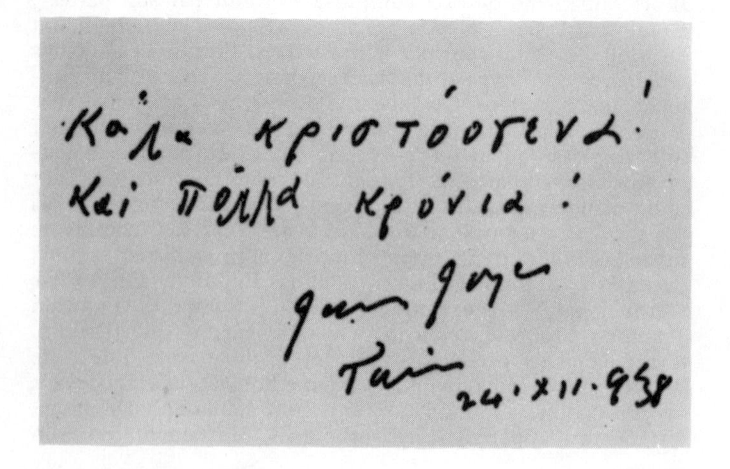
Καλα κριστόογενα!
Και πολλα κρονια!
James Joyce
Paris 24.XII.938

pulte. Le préfixe *cam*, en celtique, désigne les perfides. Ces guerriers, aux instincts *cannibales*, usent donc de *balistique* comme *Hannibal* usait d'éléphants. Leur voracité d'*amibes*, leur science *cabalistique* déciment l'adversaire *camiba* les armes, les *sticks*, franchi le *Styx* dans les enfers, et ainsi de suite. On a déjà dénombré dix-neuf langues, dont le sanscrit, le thibétain, l'hébreu, le grec, le bas saxon, le vieil islandais, qui concourent à ce jeu démentiel.

Par nature, ce langage n'est point sans faire songer à la physique nucléaire. On sait qu'à ses connaissances encyclopédiques Joyce joignait celle des mathématiques et de leurs applications. Les travaux de Roentgen, des Curie, de Rutherford, de Bohr, trouvent ici leur répondant : comme la simplicité primitive des atomes devait se morceler en protons, électrons, neutrons, positons, neutrinos, les mots se décomposent en éléments logiques, phonétiques, sémantiques, étymologiques, deviennent des corpuscules, des systèmes en miniatures. D'aucuns, pourvus d'un unique électron, relèveront du calembour, comme *Rotschild* que Joyce orthographie *redshields* (boucliers rouges) ou *goat* (chèvre) dont il fait *Gott* (Dieu). Mais d'autres présenteront à l'analyse une structure aussi complexe que celle des corps radioactifs, et comme eux, émettront sans relâche des particules qui, heurtant d'autres termes, les modifieront ou les pulvériseront. Ainsi s'amorceront des réactions en chaîne : *Wellington* donnera *Willingdone* (sa volonté soit faite !), *Willingstone* (pierre du souhait)... pour revenir, après transmutations, à son premier état, *Wallinstone* (mur de pierre). D'autres sons, hélions errants, traverseront le livre, tel ce *tip* qui, détaché du gratte-ciel de Finnegan *hierarchitectitiptitoploftical*, en provoque sans doute l'écroulement, ce *tip* qui reparaît à tout moment comme la mémoire de la chute (*to tip* : basculer, renverser) ou l'espoir d'un pourboire (*to tip* : donner la pièce), et dont l'aurore nous apprendra qu'il vient simplement d'un rameau que le vent agite contre la vitre. Pourvus de deux, trois, quatre, *n* dimensions, saisis à différents niveaux d'intégration, les mots révèlent des propriétés physiques proliférantes ; agglomérés dans un espace et stellaire et microscopique, ils expriment un univers en perpétuelle formation.

Cet univers, la seule durée l'anime et le soutient. Sans cesse recréé, il s'abolit sans cesse avec l'instant présent, de sorte qu'il traduit jusqu'en son ordre intime la mort et la résurrection de Finnegan. Ni lieux, ni choses, ni personnes n'y sont immuables. Dans *Ulysse*, cent leitmotive rappelaient sa pérennité ; rien n'en subsiste en cette nuit qui commence où finit le monologue de Molly. L'unique loi de *Finnegans Wake* est la métamorphose, l'écoulement infini de ce monde incertain. Évanescentes, toutes paroles se déforment, se désagrègent, ne se prolongent jamais qu'en échos infidèles, comme ces trilles de l'oiseau *fuipetit*, *faipetit*, *pripetit*, *coulpetit*, *tappetit*, *pietpetit*, *moultpetit*, *paitpetit*, *cripetit*, ou ce temps qui, à peine désigné, requiert déjà d'autres vocables : *Le tems le dira. Je suis sûr de lui. Le tomps qu'on ne dompte n'attend pour personne.* Fréquemment, pour suggérer la transformation que les moindres minutes imposent aux

Joyce arrivant rue de l'Odéon devant Shakespeare and Co.

apparences, Joyce usera de ces répétitions dont chacune altère le terme originel, comme en cette séquence intraduisible : *Tim Timmycan timped hir, tampting Tam. Fleppety ! Flippety ! Fleapow !* La langue anglaise, phonétiquement plus riche que la nôtre, a toujours marqué certaine tendresse pour ce jazz verbal, ces syllabes redoublées, *flim-flam, hanky-panky, tittle-tattle, jig-a-jog,* et l'on sait que sa poésie se fonde essentiellement sur l'allitération. Mais en poussant à l'excès ce lettrisme auquel Swift empruntait déjà son « petit langage », Joyce impose à la littérature des procédés qui ne sauraient convenir qu'à la musique. Sa cécité put jouer un rôle en cette obsession, *Finnegans Wake* n'en reste pas moins un leurre. *Tisse, tisseur de vent.*

Les habitants d'*Ulysse* naissaient de l'aube. Earwicker, sa femme Anna Livia, ses fils Shem et Shaun et sa fille Isabelle naissent du crépuscule et s'évanouissent au matin. Leur vie n'est qu'un songe, mais comme elle résume celle du monde entier, *Finnegans Wake* commence où il s'achève et s'achève où il a commencé. Un cabaret à la porte de Phœnix Park. La lune s'est levée, la rivière murmure, mire l'église Adam et Eve, descend son fil vers l'océan... Dublin s'endort ; et le rêve s'ébauche, dont le privilège est d'abolir toute conscience du lieu, du moment et de la personne. A peine Earwicker a-t-il fermé les yeux que sa chambre s'élargit, se peuple d'êtres fantastiques : Madame prend source, coule en son lit : Anna Liffey ; la famille remonte le cours des âges, se voit chassée du paradis, erre de rive en rive ; les frères, qui se détestent, enfantent les guerres, les ravages ; d'Isabelle, Mademoiselle se change en cette Iseult à laquelle le quartier doit son nom : Chapelizod... Et voici qu'appelées par le hasard des assonances, formées dans la logique étrange du rêveur, tout au long de cette nuit vont s'établir, entre ces Dublinois et les grands du passé, les symboles, les mythes, les religions, la terre même, les plus profondes parentés.

Cette emprise de la création sur la créature était déjà flagrante dans *Ulysse*, où Léopold passant devant un marchand de graisse devenait subitement Huileuxbloom et Booloohoom devant un miroir concave. La géographie fondait aussi le personnage puisqu'il existe en Irlande un Mont Bloom, comme il existe, d'ailleurs, des Monts Douce et Kennedy. La société déléguait ses vivants et ses morts pour constituer, par exemple, ce major Tweedy, mélange de l'officier Brian Cooper et d'un major Powell, ami de la tante Joséphine, ou ce soldat Carr en qui l'on reconnaissait, outre divers voyous de la capitale, un attaché anglais que Joyce avait attaqué, pour insultes et menaces, devant la justice de Zurich. Au-delà, mais totalement à leur insu, les acteurs de la journée revivaient, avec l'*Odyssée*, maintes chroniques par quoi leur existence semblait s'étendre à l'infini dans le passé. Un suprême avatar, et le cosmos traduisait leurs faits et gestes à son échelle démesurée, comme ces étoiles de première grandeur qui avaient célébré l'avènement de Shakespeare, de seconde grandeur celui de Bloom, et qui avaient *paru et disparu dans la constellation d'Andromède à peu près à l'époque de la naissance de Stephen Dedalus.*

Terrestre, citadine, historique, légendaire, céleste, la même stratification s'observe chez les héros de *Finnegans Wake*, à cette nuance près que les allégories ne leur sont plus étrangères, mais consubstantielles. C'est fortuitement que les dessous de Gertie représentaient le linge de Nausicaa ou le coffre-fort de Mr Deasy les richesses de Ménélas. Ici, les allusions déterminent les personnages, commandent leurs destins, convertissent leurs noms. Êtres de verbe, non de chair, ils se réduisent à ce qu'ils évoquent, comme les Vices et les Vertus dans le théâtre médiéval. Le titre même en est garant. On sait que Joyce le tira d'une chanson à boire narrant l'histoire d'un maçon qui, tombé d'un échafaudage, mis au cercueil et veillé par ses compagnons, ressuscite en entendant déboucher le whisky. Les commentaires qui préludent à l'aventure, comme la *Télémachie* préludait à *Ulysse*, scintillent de symboles qui vont nourrir le livre entier. Finnegan le bâtisseur, *homme solide*, homme d'érection, c'est Finn, l'ancêtre des Finnois, glorifié dans les sagas, et Finn Mac Cool, son double irlandais. Double est le mot, car double est sa nature. Fier gaillard, *fine Egan*, il est promis à maints déboires par son prénom : une amende *(fine)*, l'amertume *(vinegar)*, l'ivrognerie *(winegan's fake)* jusqu'à la *fin* tout court. *Hohohoho, Maître Finn, vous serez Maître Finnancor ! Venirdi martin, O vous voici qui vin ! Dimanchoir, ève vous voilà vinègre ! Hahahaha, Maître Finnaud, vous serez ancor funi !* Ce Protée aux mille ruses, aux mille châtiments, dont le signalement varie d'une minute à l'autre : *Fillagain, Finfoefum, Finnimore, Finiche,* figure donc tout ce qui finit et recommence, qui tombe et se relève comme le phalle et le soleil. Sa chute, accompagnée d'une formidable déflagration, cent lettres clamant « tonnerre » du malgache au germain : *bababadalgharaghtakamminarronnkonnbronntonnerronntuonnthunntrovarrhounawnskawntoohoohoordenenthurnuk !* signale celle de Lucifer, d'Adam, de Rome, de l'Irlande, comme de la pomme de Newton ou de la Bourse de New York. Vico rapportait à la crainte de Dieu les origines de l'histoire ; cette foudre initiale sépare semblablement l'univers du divin, engendre l'humanité en sa victime symbolique et met en branle le premier cycle, les guerres fabuleuses, où Finnegan devient ce qu'était l'âme pour Stephen : *forme des formes, tout ce qui est.*

Mais voici qu'un mot magique : *whisky ! (usqueadbaugham !)* tire le mort de son sommeil dogmatique. Veillé, il s'éveille. Les temps vont-ils se répéter ? Non, car les amis, toujours

innegan's Wake

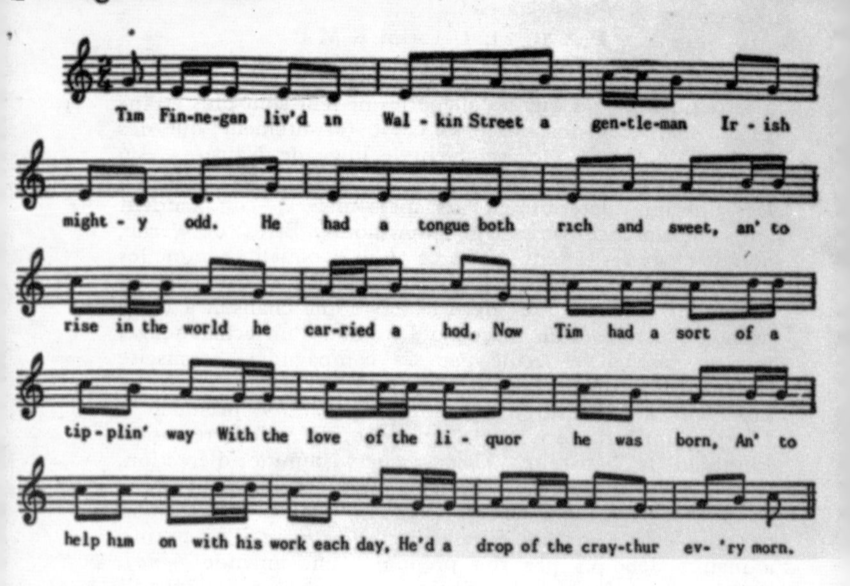

obligeants, le recouchent en bière en l'informant que son successeur est déjà là. Oui, car le successeur, c'est Finnegan lui-même réincarné en la personne du rêveur, notre tavernier. *Nous Voilà Donc à Dieublingue*, au cabaret d'Earwicker. Venu par mer, avec armes, bagages, famille, patente, comme Virag de Hongrie, le personnage rappelle aussitôt les conquérants séculaires : les Grecs à Troie, les Romains en Grèce, les Gaulois à Rome, les Francs en Gaule, les Goths, *Oystrygods* et *Fishygods*, les Normands en Angleterre, les Anglais en Irlande, saint Patrick et son christianisme d'importation, le Turc, Cromwell, Napoléon *(Lipoleum)*, etc. Titan, il occupe toute la région, la tête à Howth, le ventre en pleine cité et les pieds quelque part dans Phœnix Park, un endroit rêvé pour la résurrection, caressés par sa femme, la rivièrante Anna Livia. A travers son sommeil, le gargottier englobe donc en lui les héros de l'histoire comme les entours de son estaminet : la brasserie Guinness (l'élixir de vie), le monument Wellington (la bataille de Waterloo), Chapelizod (Tristan et le roi Marc), et le lieu qui le définit pour la première fois, Howth Castle et Environs. H. C. E., lettres cabalistiques qui, sous des centaines d'apparitions, depuis les noms propres

Avec Giorgio, son fils

Haroun Childeric Eggeberth, H. C. Endersen, Humpheres Cheops Exarchas, ou les sobriquets Here Comes Everybody (Monsieur Tout-le-monde), Haveth Childers Everywhere (A des Enfants Partout) jusqu'aux phrases mêmes du texte : *hic cubat edilis*, *how Copenhagen ended* (comment finit Copenhague), *hush! caution! echoland!* (holà ! chut ! écholande !) et ainsi de suite, ne cesseront de caractériser Humphrey Chimpden Earwicker, c'est-à-dire Finnegan, c'est-à-dire le livre lui-même.

Implanté comme Bloom dans une ville qui n'est pas la sienne, mais dont il ne laisse point de se dire citoyen, H. C. E. éprouve aussi la *morsure de l'en-soi*, la mauvaise conscience. A la faveur du rêve, sa culpabilité prend des proportions aussi fabuleuses que sa personne. Stephen déjà tombait au Labyrinthe sans connaître le mobile précis du châtiment ; dans *Circé*, Léopold se voyait arrêté, déshonoré, traîné devant les tribunaux, accusé de forfaits invraisemblables, pour s'être défait subrepticement d'un paquet de charcuterie. Le crime de Humphrey Chimpden n'est pas mieux établi, et les versions contradictoires qu'il en fournit disent assez sa nature ancestrale. En vérité, comme dans Kafka, le péché tient essentiellement à l'existence humaine, au regard d'autrui, au besoin de faire excuser une présence que le monde décrète inadmissible. L'affaire a commencé dans Phœnix Park, entendons le jardin d'Eden. On a surpris notre homme. Il s'est troublé. Comme on lui demandait l'heure, il a produit en bredouillant un alibi. Un fumeur de pipe a vu la chose, l'a rapportée à son épouse, laquelle l'a rapportée à son curé, lequel l'a rapportée aux paroissiens. Grossi des charges les plus infâmes, l'incident a ruiné les chances d'Earwicker aux élections. Et voici que de méchants grimauds, jouant sur ce nom dont l'équivalent français est Perce-Oreille, ont rimé une fielleuse satire, la *Ballade de Persse O'Reilly*, qu'on colporte dans tout Dublin. Appréhendé, H. C. E. doit répondre de monstruosités d'autant plus vagues que les témoins ont disparu depuis longtemps. Des visiteurs d'Armorique du Nord viennent l'insulter dans sa cellule. Quatre juges se penchent sur son cas, qui sont les quatre éléments, les quatre points cardinaux, les quatre évangélistes, les quatre sages d'Irlande, et plus banalement les quatre habitués du troquet. A la fin, toujours généreuse, la capitale décide d'accorder à son grand homme le seul séjour qui lui convienne : au fond d'un lac.

Point besoin d'être clerc pour reconnaître ici l'histoire de l'humanité, de la chute au déluge. Il semble même que ce premier cycle établisse l'implacable destin de tous les peuples et de tous les temps : la passion d'Earwicker, qui rappelle celle de Finnegan, rappelle aussi celle de Prométhée, d'Osiris, de Jésus, de tout héros qui souffre et meurt pour mieux renaître. Car H. C. E. renaît. Tandis que son fantôme apparaît d'âge en âge sur les champs de bataille et qu'on se demande s'il ne s'est pas réincarné dans le nouveau pape, sa femme entreprend de laver sa mémoire des souillures de la calomnie. Elle rédige donc le témoignage qu'on attendait au procès, dont on parlait dès le début du livre, mais qui, pour des raisons mystérieuses, s'était égaré. Ce fameux manifeste auquel une veuve Kate a participé, que Shem a composé, que Shaun s'attribuera, et qui, depuis les origines de l'écriture, a passé par toutes les formes, toutes les interprétations, pour être enfoui sous un tas de fumier où une poule en exhumera quelques morceaux, cet *écrit protéiforme et polyédrique* dont le vent tourne les pages et qu'un philologue déchiffre pesamment, cette lettre perdue d'où viennent à la fois les désastres, les bienfaits, les malentendus, qui divise les frères, les civilisations, mais dont la possession semble importer par-dessus tout, c'est sans nul doute la science secrète, la révélation, l'enseignement de dame Nature, la poésie, le mot de notre énigme, autrement dit : *Finnegans Wake*. Comme l'ont bien remarqué Campbell et Robinson, toutes les questions que le manuscrit propose sont celles mêmes que Joyce débat en son ouvrage : le Père, la Mère, les Fils ennemis, la Fille, la Tentatrice, l'Histoire humaine, la Cité, la Connaissance, et ces douze dormeurs, clients d'Earwicker, dont la nuit fera les douze signes du Zodiaque, les douze Apôtres, les douze preux d'Arthur...

Mais *cherchons la flamme*. Inspiratrice de ce libelle, Anna Livia Plurabelle, désignée elle aussi par ses initiales qui reparaissent à tout propos, figure le grand principe féminin de l'univers : l'eau, la terre féconde, Eve, Isis, Psyché, la Vierge Marie, etc. Elle entre en scène dès l'ouverture avec les flots de la Liffey et prononce le finale en se jetant dans l'océan. Le cours entier des âges et des mythes tient donc en son cycle toujours recommencé, de la source à la mer, du nuage à la source. C'est pourquoi le passage qui la célèbre, le dialogue des lavandières commentant son histoire, forme ici, comme la seconde intrigue dans le théâtre élizabéthain ou les rochers flottants dans *Ulysse*, le microcosme du livre, son reflet, sa vérité. La chute de Finnegan-Earwicker et sa résurrection sont au centre du poème dont le premier mouvement traduit la naissance de l'onde : *O, dis-moi tout d'Anna Livie! Je veux tout savoir d'Anna Livie! Eh bien! tu connais Anna Livie? Bien sûr tout le monde connaît Anna Livie. Dis-moi tout, dis-moi vite. C'est à en crever! Alors, tu sais, quand le vieux gaillarda fit krach et fit ce que tu sais. Oui je sais, et après, après? Lave tranquillement ton linge et ne patauge pas tant. Retrousse tes manches et délie ton battant. Et ne me cogne pas sur la caboche, hein! Ou quelque fut le tréfleuve que le triplepatte qu'on dit qu'il trouva dans le parc de l'Inphernix. C'est un beau saalaud!* Et les commères vont leur babil, dévoilant les secrets. Bavardage de femmes, bavardage des eaux. Mille rivières scintillent en leurs paroles, tissent le réseau furtif de leurs métamorphoses : *Comment le préenomme-t-on encore? Hughes Caput Earlyfowler. Est-il né nil part, où l'a-t-on trouvé? L'Urgothlande, Tvistville sur le Kattegat? L'Humi, Concorde sur le Merrymake. A-t-on crié leurs bans à la Damève ou furent-ils noués de par le capitaine ? De mes ailes de victoire je te couvre ma poupoule. Et mon regard d'oie sauvage te fera mon jars. Coulette et Lemont, quant l'eure est Noël craignent et espèrent un isthme joyeux. O passe la main et pô selautre. Dom Dom Dombdomb et elvette sa mie.*

Earwicker et Livie ont donc pris leur cours ensemble, et vont poursuivre ici-bas le même destin. Comme le fleuve, en traversant la ville, se charge d'immondices, notre héros, en traversant la vie, se charge d'une *gangerène de vice* et de malheur. Cocufié, rendu *rideaucul* par sa drôlesse, *H. C. E. aux yeux de morue* s'en venge sur les soubrettes, avec la bénédiction de *Qui elle ? Anna Livie ? Oui-da Anna Livie. Elle embauchait deci delà des salaudines de margottons pour entrer chez lui, Herr aarand chief, et chatouiller ce pontife en taptinoise. Que dis-tu ? Pas d'éblague. Mais cela-ci est limmat. Comme pfit El Negro s'épiant dans la glace. O dis-moi tout, je veux l'entendre combien elle se haussa sursum échelle corda. Un clin d'œil de couard après drapeau à terre. Faisant celle qui s'en fiche pas mal, la proxénète ! Proxénète, mais kesxéçé kesxéçà ? Pousse le en franca lingua. Et appelle une crue une crue.* Ce péché dont H. C. E. passe son temps à se disculper, nous commençons à en comprendre la nature. A mesure que les eaux s'embourbent, la famille Earwicker apparaît dans toute sa turpitude, et le caboulot comme un véritable bordel où Anna raccole des pensionnaires, *gigotant des gigues sur le sioul de la porte pour montrer comment on agitait les courbières et le chic sousgestif des parures cachées et les toutes manières des pucelles devant homme, huitant un cliqueticlaque comme pour dire « c'est cent sous » ou « c'est six francs trente » et en brandissant un écul doré. Zésus, Zétu c'est-y possible ! Eh bien elle est bonne celle-là ! Lui jetant au cou toutes les putes de la terre. A n'importe quelle de ses captures de doubs sexe de minette pleissante deux douros d'argent, deux thumes chacune, prix de pelottage pour faire l'amarre dans le gironde de Pantalon cruel*[1]. Mais quant à savoir si les enfants sont le fruit de ce *sport à trois*, la nuit seule pourrait répondre. L'ombre venue, les lavandières changées en pierre et en ormeau ne parlent plus qu'avec ces mots de feuilles, de bois, de glèbe, ces mots qu'Anna Livia retrouvera, vers l'aube, pour s'abîmer dans l'infini.

---

1. *Anna Livia Plurabelle* - Traduction S. Beckett, A. Perron, I. Goll, E. Jolas, P. Léon, A. Monnier, Ph. Soupault et l'auteur, N. R. F., Paris, 1931.

H. C. E. n'en est pas quitte pour autant avec les remords. Passée toute une série d'intermèdes bouffons, où il devient le Hollandais volant dont parlent les buveurs, puis un général russe à la bataille de Sébastopol, le malheureux, conspué par sa clientèle, ferme le cabaret et rêve qu'il s'endort. Et voici qu'il apparaît, en ce nouveau songe, que les luronnes auxquelles s'adressait son ardeur étaient autant d'incarnations de sa fille Isabelle. *Insectueux*, le bonhomme est donc partagé entre deux images de la femme : la jeune Plurabelle, la rivière à sa source, qui revit sous les traits de la pucelle, et la vieille Livia, lourde de fange et de péchés, qui chemine déjà vers sa mort océane. La situation rappelle aussitôt celle de Tristan entre les deux Iseult, mais aussi celle du roi Marc brûlant d'un feu déraisonnable. Espionné par les quatre vieillards, ses juges, transformés en quatre vagues sur les côtes d'Irlande, là même où *Sir Tristram, violer d'amores*, venait ravir son amante, Earwicker entre à la fois dans les rôles du séducteur et du cocu. Tristan, il lutte contre sa femme, détaille complaisamment les charmes d'Isabelle. Mais, roi Marc, moqué par les mouettes, il sera vaincu piteusement par son rival, et quel ? Son propre fils Shaun. Drôle de famille !

La promotion des fils ouvre en histoire un nouveau cycle. Depuis la chute de Finnegan, les jumeaux n'ont cessé de s'imposer sous des identités diverses, et plus la nuit avance vers sa fin, plus ils l'emportent sur le pouvoir de leurs parents. Dans la famille, où l'on persiste à les nommer Jerry et Kevin, leurs différences n'ont pas tardé à introduire un climat de continuels conflits. Les voici, par exemple, Dolph et Kev, peinant sur leurs devoirs d'école. Il faut dire que le programme est assez chargé, puisqu'il comprend la somme entière des connaissances humaines, de la théologie cabalistique à la philosophie de Vico. Dolph, l'intellectuel, aide son frère à résoudre un problème de géométrie, touchant le secret de leur mère, le triangle A. L. P. ; Kev, jaloux, l'assomme d'un coup de poing, et l'incident s'achève sur une vision des temps futurs. Les voici encore, cette fois Glugg et Chuff, guerroyant à la porte de la taverne pour éblouir les petites compagnes de leur sœur. Sermonnés, ils vont au lit poursuivre leur querelle, mais le tonnerre qui précipitait Finnegan au cercueil les précipite dans le silence. L'irascible Earwicker a claqué la porte : *lukkedoerendunandurraskewdylooshoofermoyportertooryzooysphalnabortansporth-*

aokansakroidverjkapakkapuk ! — apparemment le nouvel âge commence comme l'ancien.

A l'opposition primitive du masculin et du féminin correspond en Shem et Shaun l'antagonisme de deux types d'homme et de culture. Nous retrouvons ici le dualisme qui régentait, non seulement les rapports de Bloom et de Marion, mais de Bloom et de Stephen, de Stephen et de Mulligan, et ces dioscures que figuraient, dans *Ulysse*, les jumeaux Tommy et Jacky, les frères siamois Philippe Soûl et Philippe Sobre, les soldats Carr et Compton ou les dieux de la bière Brassiniveagh et Brassinardilaun. Shem la Plume, c'est James Joyce lui-même, l'artiste, le rebelle, le détenteur de dangereux secrets, le banni, l'initié rejeté par la populace et qui s'en venge en écrivant, dans une langue incompréhensible, ce gros livre appelé *Finnegans Wake.* Shaun l'Epieu, c'est le politique, le militaire, le dictateur, le démagogue, l'homme de l'ordre et de la fortune, le don Juan, le beau parleur qui mystifie son monde et l'emporte dans la faveur publique. Tous les tournants du temps verront donc face à face ces êtres irréductibles qui, sous les noms de Mutt et Jute, Butt et Taff, Jhem et Jaun, comme sous les symboles de *The Mookse and the Gripes* ou *The Ondt and the Gracehoper*,

Avec son petit-fils, Stephen

perpétueront les figures adverses de Caïn et Abel, du Christ et de Judas, de César et Brutus, de Wellington et Napoléon, d'où procèdent sans cesse l'histoire, ses mythes, ses cauchemars, ses guerres.

A Shem et Shaun appartient donc le monde du multiple : études inutiles, discours électoraux, tentatives de séduction, procès, sermons, enquêtes dérisoires, toutes entreprises où les frères s'affrontent férocement. Mais de même que l'univers, issu de l'Un, doit retourner à l'Un, quand les temps seront révolus, de même ces figures, nées du seul rêve d'Earwicker, se résorbent en lui à l'annonce de l'aube. Shen et Yawn, ces deux visages de Finnegan, recomposent en se confondant le héros *homogénial*, dont le sommeil, un instant effleuré, rescelle avec Anna Livia ses noces de diamant. Peu à peu, les spectres s'éloignent, la vie gagne sur l'ombre et, tandis que la ville célèbre par ses matines la résurrection du soleil, la grande féerie nocturne se résout en cette voix mourante de la rivière : *Je m'en vais. O fin amère ! Je vais m'esquiver avant qu'ils soient levés. Ils ne verront jamais. Ni ne sauront. Ni ne regretteront. Et c'est vieux et*

Avec Eugène Jolas,
corrigeant les épreuves de Transition

vieux c'est triste et vieux c'est triste et las je m'en retourne vers toi, mon père froid mon père fou et froid mon père furieux et fou et froid, jusqu'à ce que sa taille si haute que je vois de si près, ses crilomètres et ses crilomètres, ses sangloalanglots, me malselle et me mersalle, et je me rue, mon unique, dans tes bras. Je les vois se lever. Sauve-moi de ces fourches trribles. Deux encore. Encore un et deux meuvements et encore. C'est tout. Avelaval. Mes feuilles se sont dispersées. Toutes. Mais il y en a encore une qui s'accroche à moi. Je la porterai sur moi. Comme souvenir de. Lff! Si doux ce jour à nous. Oui. Emmène-moi dans tes bras, papa, comme tu as fait à la foire aux jouets. Si je le voyais fondant sur moi maintenant les ailes blancs déployées comme s'il arrivait d'Archangelisk, je m'épense que je tomberais morte à ses pieds, humblement, simplement, rien que pour me débarbouiller. Si fait, net. C'est là où. D'abord. Nous passons dans le gazon dessous le buischutt vers. Pfuit. Une mouette. Des mouettes. Appels de loin. Venant, loin. Ici la fin. Nous maintenant. Gros Finn egan. Prends. Une bisedetloi, moimoimemormoi. Jusqu'à ce que mille fois te. Lfr! Les clefs de. Données! Un chemin un seul enfin aimée le long du [1].

Cette longue phrase de mort, dont le dernier mot s'enchaîne avec le premier du livre, ouvre et clôt le règne du temps. Tous nos conflits, nos croyances, nos espoirs s'ordonnent ainsi entre une chute et un réveil qui forment les aspects indivisibles du même acte. Finnegan ne finit pas : de son propre mouvement, comme lié à la nature profonde de l'univers, il s'engendre à nouveau où il devait périr, figure gigantesque qui, telle Ulysse ou Faust, assume l'humanité à travers ses métamorphoses. Est-ce à dire que son histoire se répète inlassablement ? Oui, si l'on s'en tient à ce cycle essentiel. Et non, car chaque retour en cette œuvre infinie pénètre davantage ses secrets, comme chaque étape historique accroît en l'homme la conscience de sa situation. C'est par ce progrès toujours repris et jamais achevé que *Finnegans Wake* coïncide avec le monde : avec le monde physique auquel il emprunte son épaisseur, sa gravitation, avec le monde humain dont il épouse les énigmes. Ce livre, le plus ambitieux qui fut jamais conçu, tient la gageure de peindre en un rêve le globe et son histoire, et d'enseigner à force d'obscurités une vérité toute simple : qu'à

1. Traduction André du Bouchet, *Age nouveau*, jan. 1950.

chaque instant cette histoire naît, meurt et recommence.

Pas plus qu'*Ulysse*, *Finnegans Wake* ne relève donc du retour éternel. On sait que son plan s'inspire de la philosophie cyclique de Vico et suit rigoureusement les quatre phases que l'Italien assignait au destin de toute société : la théocratie, l'aristocratie, la monarchie et l'anarchie. A la première correspondent l'épisode préhistorique de Finnegan, les batailles mythiques semblables à celles qui marquent les origines de l'Irlande. La seconde est amorcée par la geste d'Earwicker, ses ancêtres, ses prouesses, ses croisades, son armorial. La troisième met aux prises, comme le monarque et les féodaux, l'aubergiste et ses enfants rebelles. La dernière, dont le temps est l'aurore, marque à la fois, par l'incohérence des images et la fluidité d'Anna Livia, la dissolution du cycle et la genèse du suivant. Vico tenait que ces périodes commençaient et se terminaient sur une catastrophe d'ordre cosmique : le tonnerre résonne quatre fois en cette nuit historique, pour annoncer la déchéance et la résurrection. Mais si Joyce impose à la durée ce *commodius vicus of recirculation*, il a soin d'en rendre chaque moment si insondable que les siècles s'épuiseraient à le répéter. Nulle part, d'ailleurs, Vico n'affirme que les âges se reproduisent en toute exactitude, et les ressemblances qu'il décèle entre tels peuples ou telles époques n'impliquent pas une fatale identité. Nulle part, sinon par jeu, *Finnegans Wake* ne soutient que le monde reste à jamais le même, puisque vivre c'est modifier à tout instant sa vérité, et la fin consacre bien plus un triomphe sur le temps qu'une soumission à ses lois infernales. Éternel retour ? Éternel départ.

S'il est un drame, voire un échec en ce livre, il ne vient donc point de cette vision désolante à laquelle on prétend réduire l'œuvre de Joyce. Par son propos, *Finnegans Wake* transcende l'antithèse du pessimisme et de l'optimisme, comme de l'homme et de la femme, de la jeunesse et de la vieillesse, de la vie et de la mort — et je ne sache pas qu'un homme qui passe dix-sept ans à réduire en farce ces conflits séculaires mérite d'être tenu pour un désespéré. Non, certes, le drame n'est pas là. Il est même exactement aux antipodes, en cet espoir insensé de consigner l'univers dans un songe et les siècles dans une nuit. En dépit de son caractère encyclopédique, *Ulysse* ne se proposait encore qu'un dessein limité ; une légende précise en commandait l'intrigue, organisait le style, les personnages, les décors. Ici rien ne prête plus aux fantômes le peu d'ordre ou de substance qui les rendrait plausibles, passionnants, de sorte que langage, fable, psychologie sombrent dans un hermétisme délirant. Comparé aux œuvres antérieures, *Finnegans* fait l'effet du second *Faust* à côté du premier : le symbolisme, d'autant plus convaincant qu'il restait secret, perd aussitôt en foisonnant sa force persuasive. Bloom tirait et sa grandeur et sa drôlerie du fait qu'il ignorait son rôle allégorique ; en se référant explicitement à Wellington ou à Mark Twain, Earwicker détruit tout le comique de l'allusion. Empêtré dans ses correspondances interminables, grevé d'un pédantisme fastidieux, ce poème a pu représenter pour Joyce la suprême victoire : l'écrivain détrônant Dieu et dominant enfin le Temps ; il s'inscrit pour nous au-delà de toute littérature, en marge de toute communication.

Baptisé en février 1939, Finnegan n'eut guère le temps d'exciter l'admiration ou le scandale. L'invasion surprit Joyce à Saint-Gérand-le-Puy où il s'était réfugié sur les instances de Maria Jolas. Menacé d'internement, il refusa l'hospitalité que lui offrait l'Irlande, et de nouveau sollicita celle du gouvernement suisse. Ses derniers mois en France furent consacrés à réviser, en compagnie de Paul Léon, ce livre qui, entrepris au soir de l'autre guerre, s'achevait à l'aube de celle-ci. Le 13 décembre 1940, il était à Zurich avec sa femme et ses enfants, épuisé, à bout de ressources. A Noël il réveillonna chez son amie Carola Giedion-Welcker. Rêvait-il d'une œuvre nouvelle ? Une saga de la mer, une tragédie, ou ce chant de l'éveil qu'appelaient le jour d'*Ulysse* et la nuit de *Finnegans Wake* ? Le 9 janvier, il se promena longuement avec son petit-fils, contempla une dernière fois le lac et les montagnes, les vieilles façades du Schipfe, les eaux de la Limmat, sœur lointaine d'Anna Livie. Dans la nuit, de violentes douleurs d'estomac le saisirent. Au matin, les médecins diagnostiquèrent un ulcère duodénal avec perforation. Transporté à l'hôpital de la Croix-Rouge, opéré, Joyce mourut la nuit du 13 sans avoir repris connaissance. L'avis de décès parut le lendemain dans la *Neuer Zürcher Zeitung*. Peu de gens assistèrent à l'enterrement civil, et sur la tombe du plus grand écrivain de ce siècle deux maigres oraisons furent prononcées, l'une en allemand par le Professeur Heinrich Straumann de l'Université, l'autre en anglais par lord Derwent de la légation de Berne.

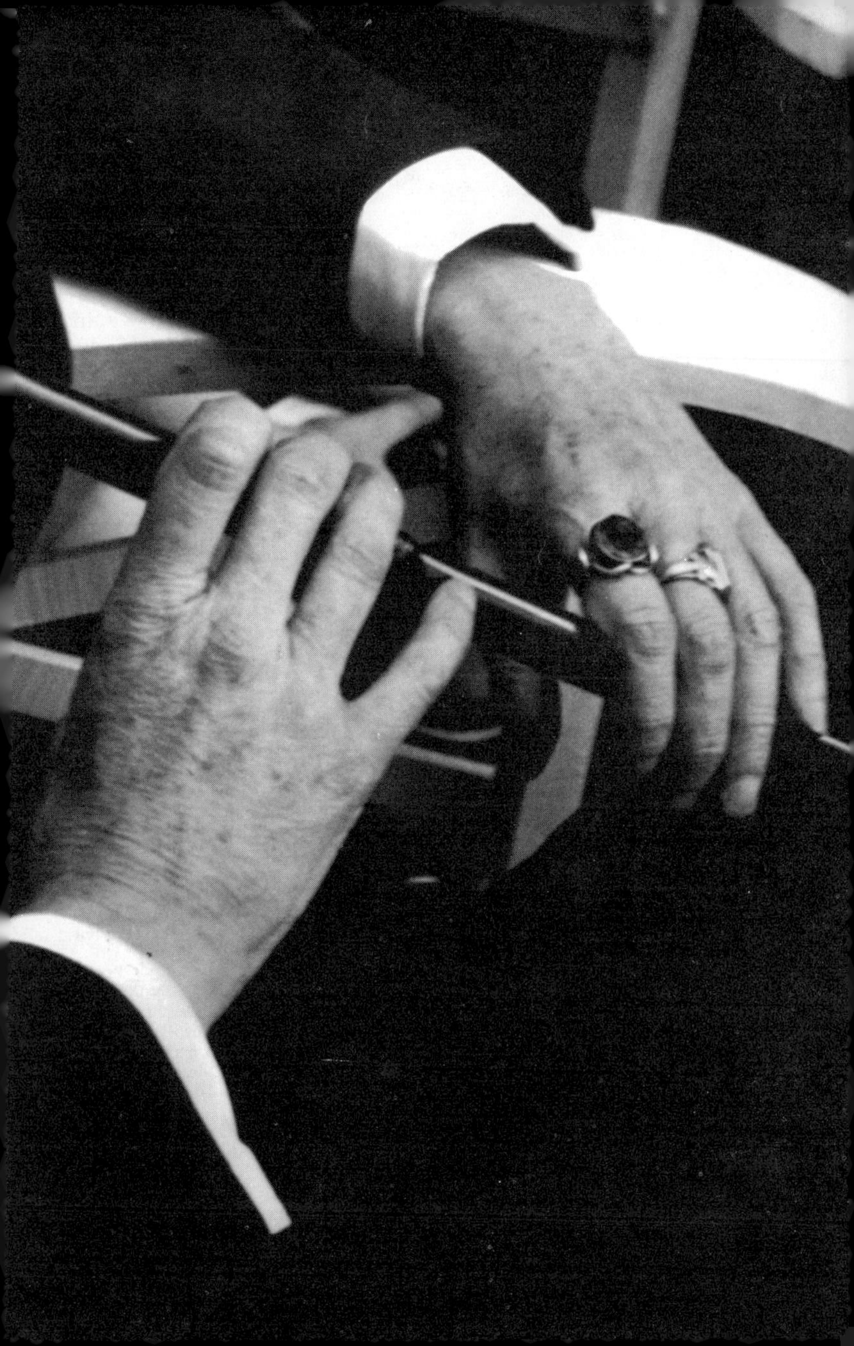

Bibliographie

I - ŒUVRES ESSENTIELLES DE JOYCE

Ibsens' New Drama, Fortnightly Review, LXVII, avr. 1900. Traduit par Anne Garnier, Théâtre populaire, nº 9, sept-oct. 1954.
The Day of the Rabblement (« Le Triomphe du Vulgaire »), *Two Essays*, Dublin, G. Bros, 1901.
James Clarence Mangan, St Stephen's, mai 1902.
From a banned Writer to a banned Singer, New Statesman and Nation, 27 fév. 1932. Traduit par A. Petitjean, *De Honni-soit à Mal-y-chance*, Mesures, Paris, jan. 1936.
Chamber Music, Londres E. Mathew, 1907. Traductions par A. Morel, Poèmes, 1926 — G. Duplaix, Revue nouvelle, fév. 1927 — Annie Hervieu et Auguste Morel, Mercure de France, nº 1041, mai 1950.
Dubliners, Londres, Grant Richards, 1914. Traduit par Yva Fernandez, Hélène du Pasquier, Jacques-Paul Reynaud : *Gens de Dublin*, Paris, Plon, 1926, préface de Valery Larbaud, épuisé. — Collection « Livre de poche », Librairie Générale, 3,40 F.
Portrait of the Artist as a young man, New York, W. B. Huebsch, 1916. Traduit par L. Savitzky : *Dedalus*, Paris, la Sirène, 1924 et Gallimard, 1943, 9 F.
Exiles, New York, W. B. Huebsch, et Londres, Grant Richards, 1918. Traduit par Mme J.S. Bradley : *Les Exilés*, Gallimard, 1950, 8 F, relié 10,50 F.
Ulysses, Paris, Shakespeare and Co, 1922. Traduit par Auguste Morel, Stuart Gilbert et Valery Larbaud : *Ulysse*, Paris, Amis des Livres (Adrienne Monnier), 1929, et Gallimard, 1942, 26,30 F. Hachette, coll. « Le Livre de Poche », 5 F.
La Nuit d'Ulysse, collection « Manteau d'Arlequin », Gallimard, 5,50 F.
Pomes Penyeach, Paris, Shakespeare and Co, 1927. Traductions de A. Morel, Bifur, sept. 1920 — Max-Pol Fouchet, Fontaine, nº 37-40, 1944 — A. Hervieu et A. Morel, Mercure de France, nº 1041, mai 1950.
Finnegans Wake, Londres, Faber and Faber, et New York, Viking Press, 1939. Trad. A. du Bouchet, Gallimard, 5,50 F ; sur alfa, 17 F. Nombreux tirages de fragments en plaquettes. Passages traduits : *Anna Livia Plurabelle*, par S. Beckett. A. Perron, I. Goll, E. Jolas, P. Léon, A. Monnier, P. Soupault et l'auteur, N. R. F., 1931 — *Fragments*, par M. Chastaing, Roman, juin 1951.
Stephen Hero, Londres, Jonathan Cape, et New York, New Directions, 1944. Traduit par L. Savitzky : *Stephen le Héros*, Gallimard, 1948. Introduction par Theodore Spencer, 9 F; relié, 11 F.
The Portable James Joyce, New York, Viking Press, 1947, et *The Essential James Joyce*, Londres, J. Cape, 1948, groupent les écrits principaux.
Lettres, Éd. par S. Gilbert, trad. M. Tadié, Gallimard, 23,50 F.
Essais critiques, trad. É. Janvier, Gallimard, 20 F.

II - OUVRAGES SUR JOYCE

Richard Ellmann : *James Joyce*, Trad. A. Cœuroy, Gallimard, 1962.
Herbert Gorman : *James Joyce : his first forty Years*, New York, W. B. Huebsch, 1924, — *James Joyce : a definitive biography*, New York, Farrar, 1939. Contient lettres et inédits.
Frank Budgen : *James Joyce and the making of « Ulysses »*, Londres, Grayson.
T.S. Eliot : *Introducing James Joyce*, Londres, Faber and Faber, 1942.
Stanislaus Joyce : *Le Gardien de mon frère*, trad. par A. Grieve, Gallimard, 1966.
Bernard Gheerbrandt : *James Joyce : sa vie, son œuvre, son rayonnement*, Paris, La Hune, 1949, Inédits, photos et bibliographie.
Mercure de France, numéro sur Joyce, mai 1950.
Philippe Soupault : *Souvenirs de James Joyce*, Alger, Charlot, 1943. Contient « Anna Livia Plurabelle ».
Harry Levin : *James Joyce*, traduit par C. Tarnaud, R. Marin, 1950.
Louis Gillet : *Stèle pour James Joyce*, Paris, Sagittaire, 1943.
Seon Givens : *James Joyce : two decades of criticism*, New York, Vanguard Press, 1948. Collection d'essais.
Maria Jolas : *James Joyce Yearbook*, Transition Press, 1949.
W. Y. Tindall : *James Joyce, his way of interpreting the modern world*, New York, Scribners, 1950.
David Hayman : *Joyce et Mallarmé*, Paris, Lettres modernes, 1956.
Stuart Gilbert : *James Joyce's « Ulysses »*, Londres, Faber and Faber, 1930.
Miles M. Hanley : *Words Index to James Joyce's « Ulysses »*, Madison, 1937.
Richard Kain : *Fabulous Voyager*, Chicago, 1947.
Rolf Lœhrich : *The Secret of « Ulysses »*, Londres, P. Owen, 1956.
Hugh Kenner : *Dublin's Joyce*, Indiana, 1956.
Patricia Hutchins : *Joyce's Dublin*, Londres, Methuen, 1957.
Our exagmination round his factification for incamination of « Work in Progress », par S. Beckett, M. Brion, S. Gilbert, E. Jolas, etc., Paris, Shakespeare and Co, 1929.
Joseph Campbell et Henry Morton Robinson : *A Skeleton Key to « Finnegans Wake »*, New York, Harcourt, 1944.
Mac Carvill : *Les années de formation de Joyce à Dublin*, Lettres modernes, 1958.
J. Prescott : *Configuration critique de Joyce*, Lettres modernes, 1960.
J.-J. Mayoux. *James Joyce*, Gallimard.
U. Eco. *L'Œuvre ouverte*, Seuil.

L'abondance des livres et articles consacrés à Joyce nous contraint à renvoyer les lecteurs, pour plus de détails à : Alan Parker : *James Joyce, a bibliography*, Boston, Faxton, 1948; John Slocum et Herbert Cahoun : *A Bibliography of James Joyce*, Londres, Soho Bibl., 1953 et aux collections de périodiques : *Transition*, *Kenyon Review*, *Sewanee Review*, *PMLA*, etc.

Table

CE LIVRE, LE TRENTE-NEUVIÈME DE LA COLLECTION « ÉCRIVAINS DE TOUJOURS » DIRIGÉE PAR MONIQUE NATHAN A ÉTÉ RÉALISÉ PAR FRANÇOISE BORIN

ILLUSTRATIONS

L'auteur et les éditeurs remercient tout particulièrement Mme Jolas, Mme Paul Léon et M. Gheerbrandt du concours qu'ils leur ont apporté pour la recherche des documents figurant dans le présent ouvrage. Les illustrations ont pour origine : Roger Viollet : pp. 8, 27, 31, 68, a, b, c, 119, 140 - *Jean Paris :* pp. 28, 29, 155 - *Cartier-Bresson-Magnum :* pp. 12-13, 90, 147 - *Ashe Studio Dublin :* pp. 16-17 - *E. D. Curran :* p. 20 - *Lange-Magnum :* p. 37 - *Ambassade d'Irlande :* pp. 42 a, d, 80, 98 - *Bibliothèque Nationale :* pp. 42 b, c, 55, 78-79, 95, 108, 109, 110, 111, 112, 113, 143, 144, 146, 166, 167 - *Giedion-Welcker :* p. 61 - *Gisèle Freund :* pp. 80, 120, 165, 174, 175, 179, 184, 185, 189 - *Agence Rapho :* pp. 84, 85, 91, 93, 94 - *Alliance Photo :* pp. 86, 139 - Le document de la page 120 est reproduit du livre d'Ettore Settani : *James Joyce*, Edizioni del Cavalino, Venise, 1955.

ACHEVÉ D'IMPRIMER EN 1966 PAR L'IMPRIMERIE TARDY A BOURGES
D. L. 2e trim. 1957. No 834-5 (2520)